se eu ficar

GAYLE FORMAN

Tradução
Amanda Moura

Novo Conceito

Impossível não se apaixonar por

Se eu ficar

"Uma história imperdível sobre amor, amizade, família, perdas, controle e superação."

— *Justine Magazine*

"Um romance pulsante sobre amor e tragédia."

— *The Sacramento Bee*

"Dolorosamente lindo."

— *NPR's Roundtable*

"A genialidade do livro está em sua simplicidade."

— *The Wall Street Journal*

"Um romance emocionante, que convida à reflexão."

— *Romantic Times*

"Cuidado: este livro vai te fazer chorar."

— *San Jose Mercury News*

"Brilhante."

— *Kirkus Reviews*, starred review

"Intensamente tocante."

— *Publishers Weekly*, starred review

"A história é amarrada com muita lucidez, inteligência e humor."

— *Booklist*, starred review

1ª Impressão — 2014

Produção editorial:
Equipe Novo Conceito
Impressão e Acabamento Prol 010714

Este livro segue as regras da Nova Ortografia da Língua Portuguesa.

Dados Internacionais de Catalogação na Publicação (CIP)
(Câmara Brasileira do Livro, SP, Brasil)

Forman, Gayle
Se eu ficar / Gayle Forman ; tradução Amanda Moura. -- Ribeirão Preto, SP : Novo Conceito Editora, 2014.

Título original: If i stay
ISBN 978-85-8163-541-5

1. Ficção norte-americana I. Título.

14-05400 CDD-813

Índices para catálogo sistemático:
1. Ficção : Literatura norte-americana 813

Novo Conceito

Rua Dr. Hugo Fortes, 1.885 – Parque Industrial Lagoinha
14095-260 – Ribeirão Preto – SP
www.grupoeditorialnovoconceito.com.br

Para Nick,

Finalmente... Sempre.

7h09

Todos pensam que foi por causa da neve. E, de certa forma, creio que estejam certos.

Hoje de manhã acordei e deparei-me com um cobertor branco de neve cobrindo o nosso jardim. Não chega a medir três centímetros de espessura, mas, nesta região de Oregon, um simples grão de poeira faz com que tudo pare enquanto o único trator limpa-neve do município trabalha para limpar as estradas. São gotas que caem do céu — e caem, caem, caem —, mas não é granizo nem flocos de neve.

É neve o bastante para cancelar as aulas da escola. Meu irmão mais novo, Teddy, solta um grito de guerra quando ouve a rádio AM anunciar que as escolas permanecerão fechadas.

— Teremos neve o dia inteiro! — exclama ele. — Papai, vamos fazer um boneco de neve!

Meu pai sorri e tamborila os dedos no seu cachimbo. Ele começou a fumar recentemente como parte da nova fase em que se encontra, que é retrô, meio anos 1950, *Papai sabe tudo*. Agora ele também usa gravata-borboleta. Nunca sei ao certo se isso faz parte da indumentária mesmo ou se é pura gozação — refiro-me a esse jeito que o meu pai tem de demonstrar que antes era um punk, mas que agora é um professor de inglês —, ou, ainda, se o fato de ser professor realmente o transformou num autêntico conservador. Mas gosto do cheiro de tabaco do cachimbo dele. É adocicado, fumacento e me faz lembrar do inverno e do fogão a lenha.

— Será uma tentativa corajosa de sua parte — diz meu pai a Teddy. — Mas a neve mal cobriu o chão. Talvez seja melhor pensar numa ameba de neve.

Posso ver que o meu pai está feliz. Basta caírem do céu dois floquinhos de neve para que todas as escolas da região fiquem fechadas, inclusive aquelas onde meu pai leciona para os Ensinos Fundamental e Médio, o que significa uma folga inesperada para ele também. Minha mãe, que trabalha numa agência de viagens no centro, desliga o rádio e se serve da segunda xícara de café.

— Ora, se vocês todos vão cabular aula, eu também não vou para o trabalho. Não é justo.

Ela pega o telefone para avisar que não vai. Quando termina a ligação, olha para nós.

— Sou eu quem tem que preparar o café?

Papai e eu gargalhamos ao mesmo tempo. A mamãe prepara o cereal e as torradas. Papai é o cozinheiro da família.

Fingindo não nos ouvir, ela estica o braço até o armário, à procura da caixa de Bisquick.

— Vamos lá. Será que é tão difícil assim? Quem quer panqueca?

— Eu quero! Eu quero! — grita Teddy. — Podemos colocar gotas de chocolate nelas?

— Por que não? — responde mamãe.

— Eba! — grita Teddy, agitando os braços no ar.

— Você está agitado demais pra esta hora da manhã — provoco. Viro para a minha mãe. — Talvez não devesse deixar Teddy beber tanto café.

— Troquei o café dele por descafeinado — explica mamãe. — Essa é a exuberância natural dele.

— Bom, contanto que não mude o meu café também, está tudo certo — digo.

— Isso seria maus-tratos infantil — diz papai.

Minha mãe me entrega uma caneca fumegante e o jornal.

— Tem uma foto muito bonita do seu namoradinho aqui — diz ela.

— Sério? Uma foto?

— Sim. É tudo que vimos sobre ele desde o último verão — acrescenta ela, me lançando um olhar de soslaio com a sobrancelha arqueada, o típico olhar que ela faz quando quer vasculhar a sua alma.

— Eu sei — digo e, em seguida, suspiro, mesmo sem querer. A banda de Adam, a Shooting Star, está começando a ficar famosa, o que é ótimo (na maior parte do tempo).

— Ah! A fama, desperdiçada na juventude — diz meu pai, mas com um sorriso no rosto. Sei que ele se entusiasma por Adam. E sente orgulho também.

Viro a página do jornal e vou até o caderno de entretenimento. Há uma pequena resenha sobre a Shooting Star, com uma foto ainda menor dos quatro integrantes, ao lado de um artigo imenso sobre a Bikini e uma foto enorme da vocalista da banda: a diva punk rock, Brooke Veja. O texto sobre a banda local Shooting Star basicamente diz que eles farão a abertura do show de Portland, durante a turnê nacional da Bikini. Nem sequer menciona o que para mim é a grandiosa notícia: ontem à noite a Shooting Star se apresentou num clube em Seattle e, segundo a mensagem de texto que Adam me enviou à meia-noite, todos os ingressos para a apresentação foram esgotados.

— Você vai hoje à noite? — pergunta papai.

— Pretendo. Vai depender se vão mandar fechar o estado inteiro por causa da neve.

— Uma nevasca *está* se aproximando — avisa o meu pai, apontando para um único floco de neve que cai, se aproximando do chão.

— Também tenho que ensaiar com alguns pianistas da faculdade que a professora Christie arrumou.

Christie, uma professora universitária de música, aposentada e com quem tenho aulas há alguns anos, está sempre à procura de vítimas que toquem comigo. — Quero manter você afiada. Assim, poderá mostrar a esses esnobes da Juilliard School como é que se faz — diz ela.

Ainda não entrei na Juilliard, mas meu recital estava indo muito bem. A Suíte de Bach e a de Shostakovich foram tocadas por mim como nunca haviam sido, como se os meus dedos fossem nada além de uma extensão das cordas e do arco. Quando terminei de tocar, ofegante, minhas pernas tremiam de tanto pressionar o instrumento e um avaliador aplaudiu ligeiramente, o que, imagino, não acontece com muita frequência. Enquanto me levantava, o mesmo avaliador me disse que havia muito tempo a escola não "via uma garota interiorana de Oregon" tocar daquela forma. A professora Christie considerou o comentário uma garantia de aprovação. Eu não tive tanta certeza assim. E não estava totalmente segura de que o meu desejo fosse mesmo a verdade. Bem como a ascensão meteórica da Shooting Star, a minha admissão na Juilliard — se acontecesse — criaria algumas complicações, ou, para ser mais precisa, dificultaria ainda mais as coisas que vinham surgindo nos últimos meses.

— Preciso de mais café. Alguém quer mais? — ofereceu mamãe, pairando sobre mim com a cafeteira antiga.

Sinto o cheiro do café, forte, escuro e oleoso, o tipo que todos nós preferimos. Só o cheiro já me anima.

— Acho que vou voltar pra cama — digo. — Meu violoncelo está na escola, então não posso nem praticar.

— Não pode praticar? Quarenta e oito horas sem praticar? Oh, será que meu coraçãozinho vai aguentar? — provoca minha mãe. — É como aprender a apreciar um queijo fedorento — compara. Embora ela tenha adquirido gosto pela música clássica ao longo dos anos, não é lá uma plateia que se sente sempre deleitada com a minha maratona de ensaios.

Ouço uma batida e um estrondo vindo do andar de cima. Teddy está tocando sua bateria. Era do meu pai, quando ele tocava em uma banda muito famosa na nossa cidade e desconhecida em qualquer outro lugar e quando ainda trabalhava numa loja de discos.

Papai sorri ao ouvir o ruído de Teddy e, ao ver aquilo, sinto uma angústia familiar. Sei que pode ser idiotice de minha parte, mas sempre me perguntei se o papai se sentia frustrado por eu não ter me tornado roqueira. Esta era a minha intenção, também. Até que, na terceira série, me deparei com o violoncelo durante as aulas de música e ele me pareceu mais humano. Parecia que, ao tocá-lo, ele lhe contaria segredos, então não hesitei. Isso já faz dez anos e desde então, nunca parei.

— E lá se foi a ideia de voltar pra cama — grita a minha mãe em meio à barulheira da bateria de Teddy.

— Quem diria! A neve já está derretendo — diz o meu pai, aspirando a fumaça do cachimbo. Vou até a porta dos fundos e espio o clima lá fora. Um raio de sol surge entre as nuvens, e posso ouvir o barulho do gelo que começa a derreter. Fecho a porta e volto à mesa.

— Acho que as autoridades exageraram — digo.

— Talvez. Mas eles não poderiam deixar de cancelar as aulas. Já deram a notícia e eu já pedi a minha folga — diz mamãe.

— De fato. Mas precisamos aproveitar esse presente inesperado e ir para algum lugar — sugere papai. — Dar um passeio de carro. Visitar Henry e Willow.

Henry e Willow são amigos antigos dos meus pais, e apreciadores de música que também tiveram um filho e decidiram começar a se portar como adultos. Eles moram em uma fazenda imensa e antiga. Henry trabalha com alguma coisa de internet, dentro do celeiro que eles transformaram num escritório, enquanto Willow trabalha num hospital próximo. Eles têm uma filhinha. Este é o verdadeiro motivo pelo qual minha mãe e meu pai querem visitá-los. Teddy acaba de completar oito anos e eu tenho dezessete, o que significa que já não temos mais aquele cheiro de leite azedo que faz os adultos se derreterem.

— Na volta, podemos passar no BookBarn — sugere minha mãe, como que para me animar. O BookBarn é um sebo gigante, cheio de livros empoeirados e muito velhos. Nos fundos, eles mantêm um estoque de discos de música clássica que custam vinte e cinco centavos cada e os quais ninguém, exceto eu, parece interessado em comprar. Mantenho uma pilha deles escondida debaixo da minha cama. Uma coleção de discos clássicos e antigos não é o tipo de coisa que se sai anunciando por aí.

Eu os mostrei para Adam, mas só depois de cinco meses que estávamos juntos. Esperava que ele desse risada. Ele é aquele tipo de cara legal, que usa a barra da calça jeans dobrada, All Star preto, camiseta preta toda estampada com dizeres punk rock e tatuagens discretas. Não é o tipo de cara que se interessa por alguém como eu. Foi por isso que, quando o peguei olhando para mim pela primeira vez no estúdio de música da escola há dois anos, tive certeza de que ele estava tirando sarro da minha cara e me escondi. Seja como for, ele não riu. E, no final das contas, ele também tinha uma coleção empoeirada de discos de punk rock debaixo da cama dele.

— Também podemos parar na casa do vovô e da vovó para jantar — diz meu pai, já pegando o telefone. — Vamos chegar em casa a tempo de você ir para Portland — acrescenta ele enquanto disca o número.

— Estou dentro — respondo. E não é pelo atrativo do BookBarn, nem pelo fato de Adam estar numa turnê, tampouco porque minha melhor amiga, Kim, está ocupada com as tarefas do anuário. Nem porque meu violoncelo está na escola e eu poderia ficar em casa assistindo à TV ou dormindo. Na verdade, prefiro sair com a minha família. Isso é outra coisa que não se sai dizendo por aí, mas Adam entende também.

— Teddy — chama meu pai. — Vá se vestir. Vamos começar uma aventura.

Teddy finaliza seu solo na bateria com um estrondo dos címbalos. No momento seguinte, chega à cozinha saltitando e de roupa trocada, como se tivesse se vestido enquanto descia as escadas de madeira e degraus curtos da nossa casa vitoriana e fria.

— *School's out for summer...* — canta ele.

— Alice Cooper? — pergunta meu pai. — Não temos nenhum padrão? Cante pelo menos Ramones.

School's out forever — canta Teddy diante da reclamação do papai.

Sempre otimista — diz meu pai.

A mamãe ri. Ela coloca um prato de panquecas ligeiramente queimadas sobre a mesa da cozinha.

— Podem raspar o prato, crianças.

8h17

Entramos no carro, um Buick enferrujado que já era velho quando o vovô nos deu de presente depois que Teddy nasceu. Meus pais oferecem o carro para que eu o dirija, mas digo que não. Papai logo se põe diante do volante. Agora, ele gosta de dirigir. Recusou-se, com muita teimosia, a tirar a carteira de motorista, insistindo a ir para todos os lugares com a sua bicicleta. Quando tinha a banda, sua inabilidade com a direção obrigava os seus companheiros a se revezarem no volante. Eles reviravam os olhos para o pai, mas minha mãe fazia mais que isso. Ela o amolou muito, e às vezes chegou até a gritar com meu pai para ele tirar a carteira, mas ele continuava insistindo que preferia o poder dos pedais. "Bom, então é melhor você começar a construir uma bicicleta que aguente uma família de quatro pessoas e que nos mantenha secos quando chover", exigiu ela. Meu pai sempre riu dessas provocações e dizia que resolveria isso.

Mas quando ficou grávida de Teddy, minha mãe bateu o pé. "Já chega", disse ela e o papai pareceu entender que alguma coisa tinha mudado. Ele parou de discutir e tirou a carteira de motorista e até voltou a estudar para obter a licenciatura. Acho que tudo bem ser um pouco irresponsável com apenas um filho, mas dois... Era hora de crescer. Hora de começar a usar uma gravata-borboleta.

E é isso que ele está usando hoje, juntamente com um casaco esporte flanelado e um sapato vintage.

— Vejo que está vestido para a neve — observo.

— Estou parecendo um entregador de cartas — retruca ele, raspando a neve para fora do carro com um dos dinossauros de plástico de Teddy que estão espalhados pelo gramado. — Nem a chuva, nem o granizo, nem mesmo meio floco de neve vão fazer com que eu me vista como um lenhador.

— Ei! Meus parentes eram lenhadores! — adverte mamãe. — Nada de piadinhas sobre lenhadores.

— Nem sonhando eu faria isso! — rebate papai. — Só estou fazendo comparações de estilo.

O papai precisa acelerar e girar a chave na ignição cinco vezes para conseguir ligar o carro. Como de costume, há uma briga pelo que vamos ouvir. Mamãe quer NPR. Papai, Frank Sinatra. Teddy quer o Bob Esponja. Eu quero a rádio de músicas clássicas, mas reconhecendo que sou a única fã de música clássica da família, estou disposta a abrir mão do clássico para ouvir a Shooting Star.

Papai propõe um trato.

— Já que perdemos aula hoje, acho que devemos ouvir um pouco de notícia assim não nos tornamos ignorantes...

— Acho que você quis dizer desinformados — corrige minha mãe.

Papai revira os olhos, coloca as mãos sobre as da minha mãe e pigarreia naquele jeito professoral dele.

— Como eu estava dizendo, primeiro vamos ouvir as notícias na NPR, e depois de ouvirmos as notícias, mudamos para a estação de música clássica. Teddy, não vamos torturá-lo com isso. Você pode ligar o seu discman — fala meu pai enquanto começa a desconectar o tocador de CD portátil que ele inseriu no rádio do carro. — Mas não te dou permissão para tocar Alice Cooper no meu carro. Está proibido. — Meu pai estica o braço até o porta-luvas para verificar o que tem lá dentro. — Que tal Jonathan Richman?

— Quero Bob Esponja. Está lá dentro — grita Teddy, saltitando no banco do carro e apontando para o discman. As panquecas com gotas de chocolate submersas na calda aumentaram claramente a hiperatividade dele.

— Filho, assim você parte o meu coração — brinca meu pai. Tanto Teddy quanto eu crescemos ouvindo os hits idiotas de Jonathan Richman, que é o ídolo musical dos meus pais.

Uma vez definidas as nossas preferências, partimos. A pista tem alguns amontoados de neve, mas em boa parte está apenas molhada.

Mas isso é Oregon; as ruas estão sempre molhadas. Minha mãe costuma brincar que é quando a pista está seca que as pessoas se metem em encrenca. "Elas confiam demais em si, deixam de prestar atenção e dirigem como idiotas. Os policiais se divertem distribuindo multas por velocidade excessiva."

Encosto a cabeça no vidro da janela enquanto observo a paisagem movendo-se rapidamente, uma pintura de pinheiros verde-escuros salpicados pela neve, uma suave névoa branca e as nuvens carregadas e cinzentas no céu. Está tão quente dentro do carro que as janelas ficam embaçadas e eu desenho pequenos rabiscos na condensação que se forma no vidro.

Quando acabam as notícias, mudamos para a estação de música clássica. Ouço as primeiras notas da Sonata para violoncelo nº 3 de Beethoven, que era exatamente a peça que eu deveria estar praticando nesta tarde. Parece um tipo de coincidência cósmica. Concentro-me nas notas, imagino-me tocando, sinto-me grata pela oportunidade de praticar, feliz por estar em um carro quentinho com a minha sonata e a minha família. Fecho meus olhos.

Você jamais esperaria que o rádio continuasse funcionando depois do que aconteceu. Mas ele continuou.

O carro é destruído. O impacto de quatro toneladas de um caminhão a cem quilômetros por hora chocando-se direto com o banco do passageiro tem a força de uma bomba atômica. As portas do carro são arremessadas para longe e o banco do passageiro voa pela janela do motorista. O chassi é arrancado, bate na pista e o motor do carro se solta como se fosse tão frágil quanto uma teia de aranha. As rodas e as calotas são lançadas na floresta. Parte do tanque de gasolina é incendiada, acendendo pequenas chamas na estrada molhada.

E há muito barulho. Uma sinfonia estridente, um coro de estalos, uma ária de explosões, e por fim, a triste ovação do metal pesado sobre as árvores macias. E então, o silêncio, exceto por uma coisa: a Sonata para violoncelo nº 3 de Beethoven continua tocando. De alguma maneira, o rádio do carro continua ligado, então, Beethoven ainda toca nesta manhã agora novamente tranquila de fevereiro.

No começo, acho que está tudo bem. Primeiro porque ainda consigo ouvir Beethoven. Depois porque estou aqui, imóvel, numa valeta da estrada. Quando olho para baixo, a saia jeans, o cardigã e as botas pretas que coloquei hoje de manhã estão do mesmo jeito de quando saímos de casa.

Saio e subo numa barragem para ter uma visão melhor do carro. Nem é mais um carro. É um esqueleto de metal sem assentos, sem passageiros, o que significa que o resto da minha família deve ter sido arremessada para fora, assim como eu. Limpo a saia com as minhas mãos e caminho até a estrada para procurá-los.

Primeiro, vejo meu pai. Mesmo a muitos metros de distância, percebo a saliência que o cachimbo faz no bolso do seu casaco. — Pai — chamo, mas à medida que me aproximo, o asfalto fica ainda mais escorregadio e há um amontoado de cinzas que se parece com uma couve-flor. Imediatamente me dou conta do que estou vendo, mas sabe-se lá como, não faço nenhuma relação com o meu pai. O que me vem à cabeça são aquelas notícias sobre tornados e incêndios e sobre como deixam uma casa devastada e a outra, bem ao lado, intacta. Pedaços do cérebro do meu pai estão sobre o asfalto. Mas o cachimbo dele permanece no bolso esquerdo do seu casaco.

Encontro a minha mãe próxima a ele. Não há quase nenhum sangue sobre ela, mas seus lábios já estão azuis e o branco dos seus olhos está completamente vermelho, como um demônio daqueles de filmes baratos de monstro. Ela parece completamente irreal. E o fato de vê-la assim, como se fosse um zumbi, faz com que eu sinta como se houvesse um beija-flor em pânico ricocheteando meu corpo.

Preciso achar Teddy! Onde ele está? Giro ao meu redor, tomada por um desespero exatamente igual a quando eu o perdi uma vez por dez minutos no mercado. Naquela ocasião, tive certeza de que ele havia sido sequestrado. E no final, claro, descobri que o Teddy estava vagueando pelo corredor dos doces. Quando finalmente o encontrei, não sabia se o abraçava ou se lhe dava uma bronca.

Volto correndo para a vala onde eu estava e vejo um braço esticado.

— Teddy! Estou aqui! — grito. — Segure a minha mão. Vou puxar você. — Mas, quando me aproximo, vejo o brilho metálico de uma pulseira com pingentes que são pequeninos violoncelos e violões. Adam me deu de presente no meu aniversário de dezessete anos. É a *minha* pulseira. Eu estava com ela hoje de manhã. Olho para o meu pulso. *Continuo* usando-a.

Aproximo-me mais e agora sei que não é Teddy quem está deitado aqui. Sou eu. O sangue no meu peito se espalhou pela minha camisa, saia, cardigã e agora está formando pequenas poças como gotas de tinta sobre a neve alva. Uma das minhas pernas está torta, a pele e os músculos estão expostos de maneira que consigo ver meus ossos. Estou com os olhos fechados e meu cabelo castanho-escuro está molhado e avermelhado pelo sangue.

Viro de costas. Isto não está certo. Não pode ser verdade. Somos uma família, dando um passeio de carro. Isto não é real. Devo ter pegado no sono.

— Não! Pare. Por favor, pare. Por favor, acorde! — grito contra o ar gelado. Está frio. Minha respiração deveria estar provocando aquele vapor parecido com fumaça, mas não está. Observo o meu pulso, sem o menor sinal de sangue e ferimento; belisco com toda a força que posso.

Não sinto absolutamente nada.

Já tive pesadelos antes — sonhei que estava caindo, que tocava num recital de violoncelo sem saber a música, que terminava com Adam —, mas sempre consegui ter o controle da situação, me obrigar a abrir os olhos, a levantar a cabeça do travesseiro, a interromper o filme de terror que passava por detrás das minhas pálpebras fechadas. Tento de novo.

— Acorda! — grito. — Acorda!Acordaacordaacordaacorda! — Mas não consigo. Não consigo.

Então, ouço alguma coisa. É a música. Ainda posso ouvi-la. Concentro-me nela. Imagino-me tocando a Sonata nº 3 de Beethoven e movimento minhas mãos, do jeito que sempre faço quando ouço as peças que estou ensaiando. Adam chama isso de "violoncelo imaginário". Ele sempre me pergunta se um dia poderemos tocar um dueto, ele no violão e eu no meu violoncelo.

— Quando terminarmos, podemos arrebentar os nossos instrumentos imaginários — brinca. — Sei que você tem vontade de fazer isso.

Toco, prestando atenção apenas nela, até que o último sinal de vida do carro se vai e com ele, a música.

Pouco tempo depois, o barulho das sirenes começa a se aproximar.

9h23

Estou morta?

Preciso fazer esta pergunta a mim mesma.

Será que estou morta?

Parece óbvio que sim, estou morta. Que o instante de ficar parada observando o acidente foi passageiro, um rápido intervalo de tempo onde o flash da vida passou pelos meus olhos, até que eu fosse transportada para algum lugar, sabe-se lá onde.

Mas os paramédicos estão aqui agora, e também a polícia e os bombeiros. Alguém cobriu meu pai com um lençol. E um bombeiro coloca a minha mãe dentro de um saco plástico. Ouço-o conversando sobre ela com outro bombeiro, que aparentemente não tem mais do que dezoito anos. O mais velho explica que provavelmente a minha mãe foi atingida primeiro e teve morte instantânea, o que justifica a ausência de sangue espalhado pelo corpo dela.

— Parada cardíaca imediata — diz ele. — Quando o coração não consegue bombear sangue, a vítima não sangra. O sangue para de circular.

Não consigo pensar nisso, no sangue da minha mãe parando de circular. Então, penso no quanto o fato de ela ter sido atingida primeiro parecia tão apropriado, ela servindo de escudo para nos proteger. Obviamente aquilo não foi uma escolha dela, mas foi o jeito que ela encontrou.

Mas, será que estou morta? Sou eu mesma deitada no acostamento com a perna presa na valeta está cercado por uma equipe de homens e mulheres que fazem procedimentos ininterruptos sobre mim e conectam coisas nas minhas veias que eu não sei do que se trata? Estou seminua, eles rasgaram a parte de cima da minha camisa. Um dos meus seios fica exposto. Constrangida, desvio o olhar.

A polícia acendeu pequenas chamas ao longo da área do acidente e instrui os carros que vêm em ambos os sentidos para que façam o retorno, pois a pista está fechada. Os policiais educadamente mostram caminhos alternativos e opções de outras vias, que levariam os motoristas aos lugares para onde eles precisam ir.

Essas pessoas dentro dos carros devem ter algum lugar para ir, mas muitas delas não fazem o retorno. Elas saem dos seus carros, protegendo-se do frio com seus próprios braços, e se aproximam da cena. Depois, desviam o olhar, algumas delas choram e uma mulher passa mal. E, mesmo sem saber quem somos e o que aconteceu, elas rezam por nós. Posso sentir suas orações.

O que também me faz pensar que estou morta. Isso e o fato de o meu corpo estar completamente adormecido, muito embora ao olhar para mim e ver a minha perna completamente esfolada pelo asfalto e o meu osso exposto, você até pudesse achar que eu estava em completa agonia. E também não estou chorando, embora eu *saiba* que alguma coisa impossível de se imaginar acaba de acontecer com a minha família. Estamos como Humpty Dumpty e nem todos aqueles cavalos e homens do rei seriam capazes de nos juntar outra vez.

Estou pensando em todas essas coisas quando a paramédica de sardas e cabelo ruivo que estava cuidando de mim respondeu a minha pergunta.

— Ela está na escala 8 do coma Glasgow. Vamos entubá-la agora — grita.

Na mesma hora, eles enfiam um tubo pela minha garganta, colocam um balão nele e começam a bombear.

— Qual é o tempo estimado para a chegada do helicóptero de resgate?

— Dez minutos — responde o paramédico. — E mais vinte para voltarmos à cidade.

— Vamos chegar lá em quinze se você voar de verdade.

Posso até imaginar o que o cara está pensando. Que não vai me fazer nada bem sofrer outro acidente a esta altura, e tenho de concordar. Mas ele não diz uma palavra sequer. Apenas cerra a mandíbula. Eles me carregam até a ambulância: a ruiva sobe comigo. Ela bombeia o balão com uma das mãos e ajusta o tubo intravenoso e os meus monitores com a outra. Depois afasta um emaranhado de cabelo que está sobre a minha testa.

— Aguente firme — ela pede.

Toquei no meu primeiro recital quando tinha dez anos. Naquela época, já fazia dois que eu tocava violoncelo. No começo, eu tocava apenas na escola, como parte das aulas de música. Foi um feliz acaso o fato de eles terem um violoncelo na escola. É um instrumento caro e frágil. Mas um antigo professor de literatura da universidade havia morrido e doou seu Hamburg para a nossa escola. Na maior parte do tempo ele ficou encostado num canto. A maioria das crianças queria aprender a tocar violão ou saxofone.

Quando dei a notícia para mamãe e papai de que eu tinha me tornado violoncelista, os dois caíram na gargalhada. Depois, eles se desculparam, alegando que ao me imaginarem com meu tamanho minúsculo segurando um instrumento enorme entre as minhas pernas finas, simplesmente não puderam se conter. Quando perceberam que eu estava falando sério, imediatamente transformaram os risos em uma expressão de pleno apoio.

Mas a reação deles ainda dói — de um jeito que eu jamais consegui explicar, de uma forma que não tenho certeza de que eles entenderiam, mesmo se eu tivesse tentado. Papai costumava brincar que provavelmente fui trocada na maternidade porque eu não me pareço nem um pouco com minha família. Todos são loiros, têm a pele branca e eu sou exatamente o oposto: cabelos castanhos e olhos escuros. Mas, à medida que fui crescendo, as piadas do meu pai sobre a troca na maternidade começaram a ter um significado maior do que ele esperava. Às vezes, eu realmente me sentia como se pertencesse a uma tribo diferente. Não era nem um pouco parecida com o meu pai extrovertido e irônico, nem com a minha mãe durona. E para completar, em vez de aprender a tocar guitarra, escolhi o violoncelo.

Porém, na minha família, saber tocar um instrumento era ainda mais importante do que o tipo de música que se tocava, então, depois de alguns meses, quando a minha paixão pelo violoncelo ficou clara e era evidente que não se tratava de algo passageiro, meus pais alugaram um para mim para que eu pudesse praticar em casa. Escalas e tríades rudimentares levaram-me às minhas primeiras tentativas de tocar "Brilha, Brilha, Estrelinha", que acabou me levando a exercícios musicais básicos até chegar às suítes de Bach. A escola não oferecia muitas aulas de música, então minha mãe contratou um professor particular para mim, um universitário que vinha até minha casa uma vez por semana. Ao longo dos anos, tive uma porção de alunos da faculdade que me ensinaram e, depois, quando as minhas habilidades superaram as deles, começaram a tocar comigo.

Isso continuou até a oitava série, quando meu pai, que conhecia a professora Christie da época em que ele havia trabalhado na loja de discos, perguntou-lhe se ela gostaria de ser a minha professora particular. Ela concordou em me ouvir tocar, sem muitas expectativas e mais como um favor a meu pai, conforme ela mesma me contou certo tempo depois. Christie e meu pai ficaram ouvindo do andar debaixo enquanto eu estava no meu quarto treinando uma sonata de Vivaldi. Quando desci para o jantar, ela se ofereceu para ser minha professora.

Contudo, meu primeiro recital aconteceu anos depois de conhecê-la. Foi em um teatro da cidade, um lugar onde normalmente bandas locais se apresentavam, então a acústica era horrível para música clássica sem o uso de amplificadores. Toquei um solo de violoncelo de Tchaikovsky, "Valsa da Fada Lilás".

Lá atrás, nos bastidores, ouvindo as outras crianças arranharem o violino e desafinarem no piano, quase desisti. Corri para a porta dos fundos e fiquei abaixada nos degraus externos, com as mãos suadas de nervosismo. Um aluno universitário que costumava me dar aulas entrou em pânico e mandou um grupo me procurar.

Meu pai me encontrou. Ele estava começando a sair da fase de descolado para a de quadrado, então estava vestindo um terno vintage com um cinto de couro com tachas e botas pretas estilo coturno.

— Deus do céu. Qual é o problema com a "minha Mia"? — perguntou ele, sentando-se perto de mim nos degraus.

Balanço a cabeça, sentindo-me muito envergonhada para falar.

— O que está pegando?

— Não consigo — choraminguei.

Papai ergueu uma de suas sobrancelhas cabeludas e me fitou com seus olhos azuis acinzentados. Senti-me uma estranha que ele estava observando e tentando compreender. Meu pai havia tocado em bandas desde sempre. Lógico que ele *nunca* havia sentido algo tão bobo quanto o medo de ficar no palco.

— Bem, vai ser uma grande pena — disse ele. — Comprei um presente maravilhoso para você por causa do recital. É muito melhor do que flores.

— Dê para outra pessoa. Não consigo sair daqui. Não sou como você, nem como a mamãe e nem como Teddy. — Naquela época, Teddy tinha apenas seis meses, mas já estava muito claro que ele tinha mais personalidade e mais vigor do que eu jamais teria. E, claro, era loiro e tinha olhos azuis. E mesmo que ele não fosse assim,

Teddy tinha nascido num centro de parto especializado, não na maternidade de um hospital, então não haveria a menor chance de ele ter sido trocado.

— É verdade — refletiu ele. — Quando Teddy fez sua primeira apresentação na harpa, ele estava tão calmo quanto uma britadeira. É um garoto prodígio.

Ri por entre as minhas lágrimas. Papai colocou gentilmente seu braço sobre o meu ombro.

— Sabe, eu ficava em pânico antes de entrar no palco na hora do show.

Olhei para o meu pai, que parecia sempre completamente certo de tudo sobre o mundo.

— Você só está dizendo isso porque...

Ele balançou a cabeça, negando.

— Não, não estou. Só Deus sabe o quanto era terrível. E olha que eu era o baterista e ficava sempre no fundo. Ninguém nem sequer prestava atenção em mim.

— Então, o que você fazia? — perguntei.

— Bebia — interviu minha mãe, enfiando a cabeça pela porta dos fundos. Ela vestia uma minissaia preta de vinil, e uma regata vermelha justa, enquanto Teddy babava e sorria dentro do canguru para bebê que minha mãe tinha preso ao seu corpo. — Duas doses antes do show. Não recomendo que você faça isso.

— Sua mãe tem razão — acrescentou papai. — As assistentes sociais fazem cara feia quando veem garotinhas de dez anos bêbadas. Além disso, era muito maneiro quando eu deixava as minhas baquetas caírem no chão e vomitava no palco. Se você deixar o seu arco cair e se estiver cheirando à cerveja, vai parecer indelicada. Essa sua turma de música clássica é muito esnobe em relação a isso.

Agora comecei a rir de verdade. Continuava com medo, insegura, mas, de certa forma, me pareceu reconfortante pensar que talvez eu tivesse herdado do meu pai esse medo do palco e concluir que, afinal, eles eram meus pais biológicos.

— Mas e se eu me atrapalhar? E se eu me sair mal?

— Tenho uma notícia pra te dar, Mia. Tem um monte de crianças se saindo muito mal lá dentro, então você não vai se sobressair — disse minha mãe.

Teddy emitiu um gritinho como se estivesse concordando.

— Mas, falando sério, como a gente consegue acabar com o nervosismo?

Papai continuava sorrindo, mas posso dizer que ele tinha ficado sério porque diminuiu o tom de voz:

— Nós não conseguimos. Apenas aprendemos a lidar com ele. E aguentamos firme.

Então foi o que eu fiz. Não toquei brilhantemente. Não atingi a glória nem fui ovacionada de pé, mas também não me saí tão mal. E, depois do recital, ganhei o meu presente. Estava no banco detrás do carro, parecendo tão humano quanto o violoncelo que tinha chamado a minha atenção dois anos atrás. E esse não era alugado. Era meu.

10h12

Quando a ambulância em que estou se aproxima do hospital — não o que fica na minha cidade, mas um hospital menor que se parece mais com uma casa antiga —, os médicos se apressam e me levam para dentro.

— Acho que temos um pulmão colapsado aqui. Coloquem um tubo torácico e levem-na! — ordenou a médica ruiva e delicada enquanto me passava para uma equipe de enfermeiras e médicos.

— Onde estão os outros? — pergunta um cara barbudo que está vestido com um jaleco.

— O motorista do caminhão sofreu contusões leves, está recebendo tratamento no local do acidente. Os pais já estavam sem vida quando o socorro chegou. O garoto, aproximadamente sete anos de idade, vem logo atrás.

Exalei o ar dos meus pulmões como se estivesse segurando a respiração por uns vinte minutos. Depois de ter deparado comigo mesma naquela valeta, não consegui sair para ir à procura de Teddy. Se ele estivesse como a mamãe e o papai... como eu... Eu... Eu não quero nem pensar nisso. Mas ele não está. Teddy está vivo.

Levaram-me para uma sala pequena onde havia luzes fluorescentes. O médico gruda alguma coisa laranja ao lado do meu peito e depois coloca um pequeno tubo de plástico em mim. Um outro médico acende uma lanterna bem em cima do meu olho.

— Sem resposta — diz ele à enfermeira. — O helicóptero está aqui. Leve-a para a área de traumatologia. Agora!

Eles me tiraram às pressas da sala de emergência e me levaram até o elevador. Tenho que correr para acompanhá-los. Um pouco antes de as portas se fecharem, vejo que Willow está aqui, o que é estranho. Estávamos a caminho de sua casa, para visitarmos ela, Henry e o bebê. Será que ela veio por causa da neve? Ou por causa da gente? Eu a vejo correndo pelo corredor do hospital, com a expressão muito séria. Creio que ela ainda nem sabe que somos nós. Talvez Willow tenha até mesmo nos ligado, deixado uma mensagem na caixa postal do celular da minha mãe para se desculpar por algum imprevisto e dizer que não estaria em casa para nos receber.

O elevador se abre na cobertura. Um helicóptero, com suas hélices cortando o ar, está parado no meio de um círculo vermelho.

Nunca entrei num helicóptero antes. Mas Kim, minha melhor amiga, já. Ela sobrevoou o Monte Santa Helena uma vez com o tio dela, um fotógrafo famoso da *National geographic*. Kim vomitou nele.

— E lá estava meu tio, falando sobre a flora pós-vulcânica e eu vomitei nele e em cima de todas as câmeras — contou Kim na sala de aula no dia seguinte.

Ela ainda estava com a cara meio verde depois da experiência.

Kim trabalha no anuário do colégio e quer ser fotógrafa. O tio a levou nessa viagem como um agrado e para incentivar o seu talento em potencial.

— Até cheguei a tirar umas fotos com as câmeras dele — lamentou Kim. — Nunca vou conseguir me tornar uma fotógrafa depois disso.

— Existem diferentes tipos de fotógrafos — afirmei. — Você não precisa necessariamente sair voando por aí, em helicópteros.

Kim sorriu.

— Que bom. Porque eu nunca mais vou entrar num helicóptero. E você também, nunca!

Quero dizer a Kim que, às vezes, não temos escolha.

A porta do helicóptero está aberta, e minha maca com todos os seus tubos e fios é posta ali. Entro bem atrás. Um médico permanece a meu lado, ainda bombeando o pequeno balão de plástico que aparentemente está respirando por mim. Depois que começamos a levantar voo, compreendo por que Kim se sentiu enjoada. Um helicóptero não é como um avião que viaja como uma bala em alta velocidade, mas se mantém estável. Um helicóptero se parece mais com um disco de hóquei lançado no céu. Para cima e para baixo, de um lado para o outro. Não faço a menor ideia de como essas pessoas conseguem continuar realizando os procedimentos em mim, como lêem as minúsculas impressões do computador, como conseguem dirigir essa coisa enquanto se comunicam por fones de ouvido, conversando sobre o meu estado. Também não entendo como fazem tudo isso enquanto as hélices não param de girar.

O helicóptero atinge um bolsão de ar e é óbvio que eu deveria me sentir enjoada. Mas não sinto nada. Pelo menos este eu, que é um espectador, não sente nada. E o eu que está aqui, deitado na maca, parece que também não. Mais uma vez, preciso me perguntar se estou morta e respondo a mim mesma que não. Não teriam me colocado neste helicóptero e não sobrevoariam as florestas comigo se eu estivesse morta.

Além do mais, se eu estiver morta, gosto de pensar que a mamãe e o papai teriam vindo me encontrar a esta altura.

Vejo o horário no painel de controle. São 10h37 da manhã. Fico me perguntando o que está acontecendo lá embaixo. Será que Willow se deu conta de quem estava na emergência? Alguém teria ligado para os meus avôs? Eles moram em uma cidade vizinha à nossa e eu estava ansiosa para jantar com eles. O vovô pesca e ele mesmo defuma o salmão e a ostra, e provavelmente nós jantaríamos isso com pão preto de cerveja. Então, o vovô levaria Teddy até as lixeiras grandes da cidade, o deixaria ali e passearia com ele por lá, deixando-o escolher algumas revistas para comprar. Nos últimos tempos, Teddy andava fissurado pela *Seleções*. Ele gosta de recortar os desenhos para fazer colagens.

Fico pensando em Kim. Hoje não temos aula. Provavelmente não irei para a escola amanhã. Pode ser que ela pense que faltei porque fiquei com Adam até tarde assistindo ao show da Shooting Star em Portland.

Portland. Estou quase certa de que estou sendo levada para lá. O piloto do helicóptero continua falando o tempo todo sobre o "trauma um". Pela janela, posso ver o pico da montanha Hood se aproximando. O que significa que estamos perto de Portland.

Será que Adam já está lá? Ele tocou em Seattle ontem à noite, mas fica tão cheio de adrenalina depois de uma apresentação que dirigir o acalma. O pessoal da banda geralmente se sente bem tranquilo por deixá-lo dirigir enquanto eles aproveitam para tirar um cochilo. Se Adam já está em Portland, ainda deve estar dormindo. Será que quando acordar ele vai tomar café em Hawthorne? Ou será que vai pegar um livro para ler no Japanese Garden? Foi o que fizemos na última vez em que estive em Portland com ele, mas aquele dia estava mais quente. Sei que mais tarde, hoje ainda, a banda vai passar o som. E então, Adam vai ficar lá fora, me esperando. No começo, pensará que me atrasei. Como é que ele vai saber que, na verdade, eu cheguei adiantada? Que cheguei a Portland hoje de manhã enquanto a neve ainda estava derretendo?

— Alguma vez você já ouviu falar desse tal de Yo-Yo Ma? — Adam me perguntou.

Era primavera, eu estava no segundo ano do Ensino Médio e Adam estava no terceiro. Àquela altura, ele já vinha me observando na sala de música há meses. Nossa escola era pública, mas era uma daquelas que sempre se destacam e saem nas revistas por incentivar as disciplinas de Artes. Tínhamos muito tempo livre para pintar no espaço destinado à arte ou para estudar música. Eu passava o meu tempo na ala de música que tinha isolamento acústico. Adam também passava boa parte do tempo lá, tocando violão. Não guitarra como ele tocava na banda. Apenas acordes mais acústicos.

Revirei meus olhos.

— Todo mundo sabe quem é Yo-Yo Ma.

Adam sorriu. Pela primeira vez notei que o sorriso dele era torto, que sua boca era inclinada para um lado. Com o polegar, onde sempre usava um anel, ele apontou para as salas.

— Não acho que você vá encontrar cinco pessoas ali que já ouviram sobre esse tal de Yo-Yo Ma. E, a propósito, que tipo de nome é esse? Tem a ver com gueto ou algo assim? Yo Mama?

— É chinês.

Adam balança a cabeça e dá risada.

— Conheço muitos chineses. Eles têm nomes tipo Wei Chin, Lee alguma coisa... Mas nada de Yo-Yo Ma.

— Você não pode blasfemar o mestre! — advirto.

Mas depois, eu ri, mesmo contra a minha vontade. Levou alguns meses para eu acreditar que Adam não estava zombando da minha cara, e depois disso, começamos a bater papo com frequência no corredor.

Ainda assim, a atenção que ele me dava me deixou confusa. Adam não era um cara muito popular. Ele não era nenhum atleta nem fazia muito o tipo bem-sucedido. Mas ele era legal. Legal porque tocava numa banda com o pessoal que já estava na faculdade. Legal porque tinha o seu próprio estilo de roqueiro, pautado pelas lojas de segunda mão e pelos brechós e não pelas imitações da Urban Outfitters. Legal porque ele parecia totalmente feliz em se sentar no refeitório e ficar ali, concentrado num livro, não simplesmente fingindo que estava lendo porque não tinha nenhum lugar para sentar ou ninguém com quem conversar. Não era esse o caso. Mesmo. Adam tinha um grupo muito pequeno de amigos e um grande número de admiradoras.

E eu não era nenhuma imbecil. Eu tinha amigos e uma melhor amiga com quem sentar e almoçar. Também tinha outras amizades ótimas que fiz no acampamento do conservatório onde passei o verão. As pessoas gostavam de mim, mas elas não me conheciam de verdade. Na sala, eu era uma aluna quieta. Não era de ficar levantando a mão para fazer perguntas, nem perturbava os professores. E eu vivia ocupada, passava boa parte do tempo ensaiando ou tocando no quarteto de cordas, ou ainda participando de aulas teóricas com o pessoal da faculdade. Os alunos eram legais, mas costumavam me tratar como se eu fosse adulta. Uma outra professora. E não se pode paquerar seus professores.

— O que você diria se eu tivesse ingressos para a apresentação do mestre? — perguntou Adam com um brilho no olhar.

— Ora, sem essa. Você não tem — respondi, empurrando-o com um pouco mais de força do que eu desejava.

Adam fingiu se chocar contra a parede de vidro. Depois passou as mãos pela roupa como se tivesse tirando a poeira.

— Mas é verdade. O concerto será no Schnitzer, em Portland.

— Você quis dizer Arlene Schnitzer Concert Hall? É uma parte da sinfonia.

— É esse lugar mesmo. Estou com os ingressos. Dois. Quer ir?

— Está falando sério? Sim! Eu estava morrendo de vontade de ir, mas o ingresso custa oitenta dólares. Espera aí. Como você conseguiu esses ingressos?

— Um amigo da família deu pros meus pais, mas eles não vão. Não é lá grande coisa... — respondeu Adam bem rápido. — Bem, é na sexta-feira à noite. Se quiser, pego você às cinco e meia e nós vamos juntos, de carro, para Portland.

— Combinado — concordei, como se fosse a coisa mais natural do mundo.

No entanto, na sexta-feira à tarde, eu estava mais nervosa do que quando bebi, sem perceber, um bule inteiro de café extraforte do meu pai enquanto estudava para as provas finais do inverno passado.

Não era Adam a causa do meu nervosismo. A essa altura, eu já me sentia confortável com a presença dele. O problema era a incerteza. O que era isso, exatamente? Um encontro? Um presente de amigo? Um ato de caridade? Eu não gostava de me sentir insegura em relação a uma situação nova. Era por isso que eu ensaiava tanto, para poder pisar em terreno firme e lidar com os detalhes a partir disso.

Mudei de roupa umas seis vezes. Teddy, que naquela época estava no jardim de infância, sentou no meu quarto e ficou tirando os livros de Calvin e Haroldo das prateleiras, fingindo que os lia. Ele parecia entretido, embora eu não tivesse muita certeza se o motivo do riso eram as tirinhas do livro ou as minhas próprias trapalhadas.

Minha mãe enfiou a cabeça na fresta da porta para verificar o meu progresso.

— É só um cara, Mia — disse enquanto eu me arrumava.

— É, mas é só o primeiro cara com quem vou sair para um encontro — frisei. — Então não sei se visto uma roupa para um encontro ou uma roupa para um concerto. As pessoas costumam se arrumar para esse tipo de coisa? Ou será que eu deveria colocar uma roupa mais casual, do tipo "isso *não* é um encontro"?

— Vista-se com aquilo que te faz se sentir bem — sugeriu ela. — Assim você estará vestida para o que vier.

Tenho certeza de que minha mãe faria o que lhe desse na telha se ela estivesse no meu lugar. Nas fotos em que ela está com o meu pai, nos primeiros anos de namoro deles, ela é uma mistura de mulher fatal dos anos de 1930 e de uma ciclista, com seu cabelo de fada, seus olhos grandes e azuis contornados com delineador, e o corpo esguio sempre coberto por alguma roupa sexy, como uma regatinha de renda combinada com calça de couro justa.

Suspirei. Queria ser tão segura quanto ela. No final das contas, escolhi uma saia preta longa e um suéter vinho de manga curta. Singelo e simples. Minha marca registrada, suponho.

Quando Adam apareceu com um terno lustroso e sapatos Creepers (uma combinação que certamente impressionou muito o meu pai), percebi que aquilo *era mesmo* um encontro. É claro que Adam se preocupou em vestir-se para um concerto, e um terno à la anos 1960 foi uma maneira legal que ele encontrou para ser formal, mas eu sabia que havia algo a mais. Ele parecia nervoso, cumprimentou meu pai com um aperto de mão, dizendo que tinha CDs antigos da banda dele.

— Para usar como suporte para copos, espero — disse meu pai.

Adam pareceu surpreso, não estava acostumado com o fato de o pai ser mais engraçado que a filha, imagino.

— Crianças, não se animem muito. No último show do Yo-Yo Ma houve muito tumulto — gritou minha mãe enquanto caminhávamos pelo gramado.

— Seus pais são legais — disse Adam, abrindo a porta do carro para mim.

— Eu sei — afirmei.

Seguimos para Portland sem muita conversa. Adam colocou para tocar alguns trechos das bandas que ele gostava, um trio sueco que me pareceu meio monótono, mas depois me mostrou uma banda que me pareceu bem bacana. Ficamos meio perdidos no centro e chegamos à casa de shows faltando apenas alguns minutos para a apresentação.

Nossos assentos eram no balcão. Muito alto. Mas não se vai para um concerto do Yo-Yo Ma pela visão, mas sim pelo som, que é incrível. Aquele homem tem um jeito de fazer o violoncelo soar por um minuto como o choro de uma mulher, seguido da risada de uma criança. Ao ouvi-lo, eu sempre me recordava do porquê eu comecei a tocar violoncelo logo de cara — porque há algo muito humano e muito expressivo nesse instrumento.

Quando o concerto começou, olhei para o Adam de canto de olho. Ele até parecia à vontade com a ocasião, mas não parava de olhar para a programação, provavelmente contando os minutos para o intervalo. Fiquei preocupada com a possibilidade de ele estar entediado, mas depois de um certo tempo, fiquei tão encantada pela música que parei de prestar atenção nele.

Então, quando Yo-Yo Ma tocou *Le gran tango*, Adam esticou o braço e segurou a minha mão. Em qualquer outro contexto, isso teria sido meio clichê, um movimento planejado para ver a minha reação. Mas Adam não estava olhando para mim. Ele estava com os olhos fechados e balançando o corpo suavemente em seu assento. Ele também estava entorpecido pela música. Apertei a mão dele e ficamos assim até o final do concerto.

Depois, compramos café e donuts e caminhamos ao longo do rio. Havia uma forte neblina, então ele tirou o paletó e me cobriu.

— Você não ganhou esses ingressos de um amigo da sua família, não é mesmo? — perguntei.

Pensei que ele fosse rir ou que jogaria os braços para cima do jeito que sempre fazia quando eu o vencia em uma discussão sobre determinado assunto. Mas ele olhou bem dentro dos meus olhos e eu pude ver a mistura de verde, marrom e cinza que permeava as suas íris. Ele balançou a cabeça.

— Juntei a gorjeta de duas semanas das entregas de pizza — admitiu.

Interrompi meus passos. Pude ouvir a água fluindo lá embaixo.

— Por quê? Por que eu? — perguntei.

— Nunca vi ninguém se entregar à música como você. É por isso que gosto de ver você ensaiando. Fica uma ruguinha muito linda bem aqui, na sua testa — respondeu Adam, tocando em um ponto bem acima do meu nariz. — Sou obcecado por música e mesmo assim não consigo me transportar como você.

— E daí? Sou algum tipo de experimento social para você? — Minha intenção foi que aquilo soasse como uma brincadeira, mas soou um pouco mais amargo.

— Não, você não é um experimento — respondeu com a voz rouca e meio sufocada.

Senti um calor subindo pelo meu pescoço e depois as minhas bochechas ficando vermelhas. Olhei para os meus sapatos. Tinha certeza de que Adam estava olhando para mim agora, da mesma forma que tinha certeza de que se eu o olhasse, ele me beijaria. E fiquei surpresa ao me dar conta do quanto eu queria aquele beijo, ao perceber que eu tinha pensado naquilo tantas vezes que já tinha memorizado o formato exato dos seus lábios, e que eu tinha imaginado meu dedo roçando a covinha do queixo dele.

Num piscar de olhos, ergui a cabeça. Adam estava ali, esperando por mim.

Foi assim que tudo começou.

12h19

Há muitas coisas erradas comigo.

Aparentemente, meus pulmões entraram em colapso. Estou com o baço perfurado. Hemorragia interna de origem desconhecida. E o mais grave, contusões cerebrais. Também estou com as costelas quebradas. Queimaduras nas pernas causadas pelo atrito com o asfalto, o que exigirá enxertos de pele, e, quanto ao rosto, precisarei de uma cirurgia plástica, mas apenas — como os médicos destacaram — se eu tiver sorte.

Agora, neste exato momento, dentro do centro cirúrgico, os médicos tiveram de remover meu baço, inserir um tubo para drenar a água que se acumula nos pulmões e dar um jeito em o que quer que estivesse causando a hemorragia interna. Não há muito que eles possam fazer em relação ao meu cérebro.

— Temos de esperar para ver — diz um dos cirurgiões, olhando para uma das tomografias computadorizadas da minha cabeça. — Enquanto isso, chamem o banco de sangue. Preciso de duas unidades de "O negativo" e de mais duas unidades reserva.

"O negativo". É o meu tipo de sangue. E eu não fazia a menor ideia. Não é algo sobre o qual já tive de pensar a respeito antes. Nunca havia estado num hospital, exceto quando fui parar no pronto-socorro depois de ter cortado o meu tornozelo em um caco de vidro. Nem precisei levar pontos, só tomei uma vacina antitétano.

No centro cirúrgico, os médicos estão discutindo sobre qual música ouvirão, do mesmo jeito que eu e minha família fizemos naquela manhã. Um deles quer ouvir jazz. Outro, rock. A anestesista, que permanece próxima à minha cabeça, quer ouvir música clássica. Torço por ela, e sinto que isso ajuda porque alguém coloca um CD de Wagner, embora eu não tenha certeza de que a *Cavalgada das Valquírias* seja bem o que eu tenho em mente. Estava torcendo por algo mais leve. *As quatro estações*, talvez.

A sala de cirurgia é pequena e está cheia, repleta de luzes fluorescentes, o que destaca o quanto este lugar está encardido. Não é como na

TV em que as salas de cirurgia são como teatros imaculados que poderiam acomodar um cantor de ópera e uma plateia. O chão, apesar de estar polido e brilhante, está cheio de marcas de ferrugem, as quais acredito serem antigas manchas de sangue.

Sangue. Por todo o lado. Mas isso não incomoda os médicos nem um pouco. Eles cortam, costuram e fazem a sucção do rio de sangue que se forma sem nenhum problema, como se estivessem lavando a louça com água e detergente. Enquanto isso, injetam uma espécie de mangueira na minha veia e não param de reabastecer a bolsa de sangue.

O cirurgião que queria ouvir rock transpira muito. Com certa frequência, uma das enfermeiras tem que secá-lo com uma gaze que ela segura com uma pinça. Em um dado momento, a máscara cirúrgica que ele usa fica molhada pelo suor e ele tem de trocá-la.

A anestesista tem dedos delicados. Ela está sentada ao lado da minha cabeça, observando todos os meus sinais vitais, ajustando a quantidade de líquidos, gases e de drogas que estão injetando em mim. Ela deve estar fazendo um bom trabalho porque aparentemente não sinto nada, embora não parem de mexer no meu corpo. É um trabalho duro e complicado, não tem nada a ver com um jogo chamado "Operação" com o qual brincávamos quando éramos crianças e em que você tinha que tomar cuidado para não tocar os lados da figura enquanto removia um osso, do contrário o alarme soava.

A anestesista acaricia as minhas têmporas distraidamente com suas luvas de látex. Era isso que mamãe costumava fazer quando eu chegava em casa com gripe ou com uma daquelas dores de cabeça terríveis que doíam tanto que eu chegava a me imaginar cortando uma veia da minha testa só para aliviar a pressão.

O CD de Wagner já tocou duas vezes até agora e os médicos decidem que está na hora de trocar por outro tipo de música. Escolhem jazz. As pessoas presumem que só porque gosto de música clássica sou aficionada por jazz. Mas não sou. Meu pai é. Ele adora, especialmente os acordes mais ousados como as músicas mais recentes de Coltrane. Ele diz que o jazz, para as pessoas mais velhas, é como se fosse punk.

A cirurgia parece interminável. Estou exausta. Não sei como os médicos têm energia para continuar. Eles continuam ali, de pé, parados, mas é como se aquilo fosse mais difícil que correr uma maratona inteira.

Começo a desviar a minha atenção e a me questionar sobre qual é o meu estado. Se não estou morta — e o monitor que acompanha os batimentos cardíacos continua apitando, então suponho que não morri —, mas não sou eu quem está no meu corpo, então, será que posso ir para outro lugar? Sou um fantasma? Será que consigo me transportar para uma praia no Havaí? Será que posso aparecer do nada no Carnegie Hall, na cidade de Nova York? Posso ir até onde Teddy está?

Só para tentar fazer uma experiência, tento mexer o meu nariz como Samantha em *A feiticeira*. Não acontece nada. Estalo os dedos. Bato os saltos do sapato. Continuo aqui.

Decido tentar algo mais simples. Caminho até a parede, imaginando que vou atravessá-la e sair do outro lado. Mas quando chego até lá, me choco contra ela.

Uma enfermeira traz mais uma bolsa de sangue e, antes que a porta se feche atrás dela, eu também saio. Agora estou no corredor do hospital. Há muitos médicos e enfermeiras com seus jalecos azuis e verdes passando de um lado para o outro. Uma mulher com uma touca azul-clara na cabeça, deitada numa maca e com um intravenoso injetado na veia, chama: — William, William. — Caminho um pouco mais. Há uma fileira de salas de cirurgia, todas cheias de pessoas adormecidas. Se os pacientes que estão nessas salas estão como eu, então por que eu não posso ver as pessoas fora de seus corpos? Está todo mundo perambulando por aí, como eu estou agora? Gostaria muito de encontrar alguém na mesma condição que eu. Tenho algumas perguntas, como por exemplo, qual é o estado em que me encontro exatamente e o que devo fazer para sair dele? Como posso voltar para o meu corpo? Tenho que esperar até os médicos me acordarem? Mas não tem ninguém ao meu redor. Talvez o resto das pessoas tenha descoberto como se transportar para o Havaí.

Sigo uma enfermeira que atravessa uma porta automática. Estou em uma pequena sala de espera agora. Meus avós estão aqui.

Minha avó está falando com o meu avô, ou talvez consigo mesma. É o jeito que ela tem de não deixar as emoções a dominarem. Já a vi fazer isso antes, quando meu avô teve um infarto. Está usando galochas e um avental de jardinagem que está manchado e sujo de terra. Ela deveria estar trabalhando na estufa quando recebeu a notícia. O cabelo da vovó é curto, encaracolado e grisalho; ela o mantém assim desde a década de 1970, segundo papai. "É mais prático. Não dá trabalho e nem preciso me preocupar", afirma vovó. Isso é muito típico dela. Nada de bobagens. Ela é prática por excelência, tanto que a maioria das pessoas jamais imaginaria que ela tem uma queda por anjos. Vovó tem uma coleção de anjos de cerâmica, bonequinhas em forma de anjos, anjos de cristal, e tudo o mais que você possa imaginar em formato de anjo, numa cristaleira que fica no quarto de costura dela. E ela não apenas os coleciona, mas também acredita neles. Vovó acha que eles estão espalhados por todos os lugares. Uma vez, um casal de mobelhas se aninhou na lagoa da floresta, bem atrás da casa dos meus avós. Vovó estava convencida de que as aves eram seus pais que tinham falecido há muito tempo e que vieram para olhar por ela.

Outra vez, estávamos sentados na varanda da casa dela e eu vi um pássaro vermelho.

— É um cruza-bico? — perguntei para a vovó.

Ela balançou a cabeça.

— Minha irmã Glória é um cruza-bico — respondeu vovó, se referindo à Glo, minha tia-avó falecida recentemente e com quem vovó nunca se deu muito bem. — Ela não viria até aqui.

Vovô olha fixamente para o líquido do seu copo de isopor e começa a arrancar pedacinhos da borda, formando bolinhas que caem sobre o seu colo. Dá para ver que é o pior tipo de café, aquele que foi feito em 1997 e ficou na cafeteira desde então. Mesmo assim, eu não me incomodaria em tomar um copo.

Pode-se traçar uma linha reta entre o vovô, meu pai e Teddy, ainda que o cabelo ondulado e loiro do vovô tenha ficado grisalho e ele seja mais gordinho que Teddy, que é uma vareta, e meu pai seja magro e musculoso graças às sessões de levantamento de peso que executa durante as tardes. Mas os três têm os mesmos olhos azul-acinzentados, a cor do oceano em um dia nublado.

Talvez seja por isso que agora sinto dificuldades em olhar para o meu avô.

Juilliard foi ideia da vovó. Ela é de Massachusetts, mas mudou-se para Oregon em 1955, sozinha. Hoje, isso não seria nenhuma novidade para ninguém, mas creio que há cinquenta e dois anos, uma atitude como essa, partindo de uma mulher solteira com seus vinte e dois anos de idade, tenha sido um grande escândalo. Vovó alegou que se sentia atraída pela vastidão e pelos espaços a céu aberto e nada mais vasto e a céu aberto do que as infinitas florestas e as praias de Oregon. Ela conseguiu um emprego como secretária do Serviço Florestal e vovô trabalhava lá como biólogo.

Às vezes, no verão, voltávamos para Massachusetts e nos hospedávamos por uma semana em um pequeno hotel na região oeste do estado que é também visitado durante esse período pela extensa família da minha avó. É nessa ocasião que vejo os meus primos de segundo grau, tias-avós e tios cujos nomes mal consigo lembrar. Tenho muitos parentes em Oregon, mas todos eles são por parte do vovô.

Nas férias do verão passado, levei o meu violoncelo para poder continuar ensaiando para o próximo concerto de música de câmara. O voo não estava cheio, então as aeromoças permitiram que eu deixasse o meu instrumento no assento ao lado do meu, do mesmo jeito que um profissional costuma fazer. Teddy achou a situação hilária e ficou o tempo todo tentando alimentar o violoncelo com pedacinhos de pretzels.

No hotel, fiz um pequeno concerto à noite, no salão principal, para os meus parentes e para os animais empalhados que estavam pendurados na parede. Foi depois disso que alguém mencionou Juilliard e vovó se animou com a ideia.

No início, a ideia pareceu absurda. Havia um programa de música excelente na universidade bem próxima a nós. E, se eu quisesse me deslocar um pouco mais, havia um conservatório em Seattle que ficava a apenas algumas horas dali, de carro. Juilliard era do outro lado do país. E cara. Mamãe e papai ficaram balançados com a ideia, mas posso dizer que nenhum dos dois de fato queria me deixar ir sozinha para a Nova York nem gastar quantias estratosféricas para que talvez eu me tornasse uma violoncelista de uma orquestra de segunda categoria em alguma cidade pequena e interiorana. Eles não faziam a menor ideia se eu era boa o suficiente para isso. E, para falar a verdade, nem eu. A professora Christie me disse que eu era uma das alunas mais promissoras que já havia ensinado, mas ela nunca cogitou Juilliard para mim. Era uma escola para músicos virtuosos e a ideia de que eles poderiam me dar uma chance parecia até mesmo arrogância da minha parte.

Mas depois daquela semana de férias, quando alguém de fora, uma pessoa imparcial e da Costa Leste, considerou-me digna de Juilliard, a ideia impregnou-se na cabeça da vovó. Ela não pensou duas vezes e foi falar com a professora Christie sobre o assunto, e a professora se agarrou a isso como um cachorro se agarra ao osso.

Então, me inscrevi, juntei cartas de recomendação e enviei uma gravação. Não contei nada disso para Adam. Disse a mim mesma que não havia o menor motivo para alardes, já que a chance de conseguir uma audição era minúscula. Mas, mesmo assim, reconheci que aquilo era uma mentira. Uma pequena parte de mim sentia que o simples fato de me inscrever fosse um tipo de traição. Juilliard era em Nova York. E Adam estava aqui.

Mas não mais na escola. Adam estava um ano à frente de mim, e àquela altura do ano, meu último no Ensino Médio, ele já tinha começado a fazer faculdade na cidade. Ele estudava apenas meio período porque a Shooting Star estava começando a fazer sucesso. Eles estavam fechando contrato com uma gravadora que ficava em Seattle, e tinham uma agenda cheia e shows para cumprir. Então, só depois que recebi o envelope creme com as palavras *The Juilliard School* em relevo e com uma carta me convidando para uma audição, que contei a Adam que eu havia me inscrito e recebido o convite. Expliquei que pouquíssimas pessoas chegavam tão longe. No começo ele pareceu um pouco aturdido, como se não estivesse acreditando no que eu dizia. Mas depois, esboçou um sorriso triste e disse: — Yo Mama, é melhor que fique esperto!

As audições aconteceram em São Francisco. Papai teve uma reunião importante na escola e não pôde comparecer e mamãe tinha acabado de começar a trabalhar na agência de viagens, então a vovó se ofereceu para me acompanhar.

— Vamos ter um fim de semana de garotas. Vamos tomar chá em Fairmont, olhar as vitrines da Union Square, pegar a balsa para Alcatraz. Seremos turistas.

Mas, uma semana antes de partirmos, a vovó tropeçou na raiz de uma árvore e torceu o tornozelo. Ela teve de usar uma daquelas botas ortopédicas e não podia andar. O pânico começou a surgir. Eu disse que poderia ir sozinha — de carro ou de trem e que voltaria logo em seguida.

Contudo, o vovô insistiu em me levar. Fomos na picape dele. Não conversamos muito durante o percurso, o que foi muito bom para mim, porque eu estava uma pilha de nervos. Não parei de mexer no amuleto em formato de palito de picolé que Teddy havia me dado de presente para dar sorte, antes de partirmos.

O vovô e eu ficamos ouvindo música clássica e notícias sobre fazendas no rádio do carro quando conseguíamos sintonizar alguma estação. Quando não, ficávamos em silêncio, mas era um silêncio tranquilizador, que me fez relaxar e me sentir mais próxima a ele do que qualquer outra conversa jamais teria feito.

Vovô havia reservado uma pousada charmosa, cheia de decorações, e foi engraçado vê-lo com suas botas de trabalho e sua camisa flanelada em meio a todas aquelas toalhinhas de crochê e fru-frus. Mas ele levou tudo numa boa.

A audição foi extenuante. Tive de tocar cinco peças musicais: um concerto de Shostakovich, duas *Suítes* de Bach, a peça completa de Tchaikovsky, *Pezzo capriccioso* (o que foi quase impossível), um movimento de Ennio Morricone, *The mission*, que foi uma escolha divertida, porém arriscada, porque Yo-Yo Ma já tinha o executado e as comparações seriam inevitáveis. Saí com as pernas bambas e pingava de suor, mas a súbita produção de endorfina combinada à sensação de alívio me deixou eufórica.

— Vamos dar um passeio pela cidade? — perguntou meu avô com um sorriso.

— Com certeza!

Fizemos todas as coisas que a vovó havia prometido que faríamos. O vovô me levou para tomar chá e para fazer compras, mas para o jantar, cancelamos as reservas que a vovó tinha feito num restaurante sofisticado em Fisherman's Wharf e fomos para Chinatown, à procura do restaurante que tivesse a maior fila de clientes do lado de fora, assim, comeríamos lá.

Quando voltamos, meu avô me deixou em casa e me envolveu num abraço. Ele faz mais o tipo que cumprimenta com um aperto de mão, talvez um tapinha nas costas em ocasiões especiais. O abraço dele foi forte e apertado, e eu sabia que aquele era o jeito que ele tinha de dizer que também se divertiu muito.

— Eu também, vovô — sussurrei.

15h47

Acabaram de me levar da sala de recuperação para a Unidade de Tratamento Intensivo, ou UTI. É uma sala em formato de ferradura, e vejo uma dúzia de camas e um grupo de enfermeiros que não param de circular pelo espaço, lendo as impressões dos computadores que saem de algum lugar à altura dos nossos pés e que registram os nossos sinais vitais. No meio do quarto há ainda mais computadores e uma escrivaninha enorme, com outra enfermeira sentada.

Há duas enfermeiras que me observam, além de uma ronda interminável de médicos. Um deles é um homem taciturno, rechonchudo, tem cabelo loiro e bigode e com o qual não simpatizo muito. E a outra é uma mulher cuja pele é tão negra que chega a ser azul e ela tem a voz muito alegre, me chama de "docinho" e não para de esticar os cobertores da minha cama, mesmo que eu não esteja fazendo praticamente nenhum movimento com o corpo para tirá-los do lugar.

Há tantos tubos ligados em mim que não consigo contá-los: um ligado à minha garganta, respirando por mim; outro no meu nariz, e que mantém o meu estômago vazio; um na minha veia, me mantendo hidratada; um na minha bexiga, fazendo xixi por mim; muitos estão ligados ao meu peito, registrando as batidas do meu coração; outro está ligado a meu dedo, registrando a minha pulsação. O respirador que está cumprindo o papel da minha respiração tem um ritmo tão suave quanto um metrônomo: inspira, expira, inspira, expira.

Ninguém, a não ser os médicos, os enfermeiros e uma assistente social, veio me ver. É a assistente social quem conversa com o vovô e a vovó, com a voz baixa e solidária. Ela diz a eles que o meu estado é grave. Não tenho certeza do que isso significa — grave. Na TV, eles dizem que o estado dos pacientes é crítico ou estável. Grave soa como algo ruim. *Grave*, em inglês, significa "túmulo". O lugar para onde você vai quando as coisas aqui não estão dando mais certo.

— Queria que houvesse algo que pudéssemos fazer — afirma vovó. — Me sinto uma inútil em ficar aqui parada, só esperando.

— Vou verificar se a senhora pode vê-la, nem que seja um pouquinho — oferece a assistente social. Ela tem cabelos grisalhos e frisados e uma mancha de café em sua blusa. A sua expressão é de gentileza.

— Ela ainda está sedada devido à cirurgia e continua com o balão de oxigênio para ajudá-la a respirar enquanto seu corpo se recupera do trauma. Mas, para pacientes em estado de coma, ajuda muito escutar a voz de seus familiares.

O vovô reage com um gemido.

— Tem alguém para quem vocês possam ligar? — pergunta a assistente social. — Parentes que possam ficar aqui com vocês... Sei que deve ser muito difícil, mas, quanto mais forte vocês forem, mais poderão ajudar a Mia.

Eu me assustei quando ouvi a assistente social dizer meu nome. Soa como um alarme estridente perceber que é sobre mim que eles estão falando. O vovô fala o nome de várias pessoas que estão a caminho neste exato momento, tias, tios... Não ouço qualquer menção a Adam.

É ele quem eu realmente quero ver. Queria poder saber onde ele está agora para tentar ir até lá e encontrá-lo. Não faço a menor ideia de como Adam vai descobrir o que aconteceu comigo. Nem a vovó nem o vovô tem o telefone dele. Eles não andam com o celular, então Adam não vai conseguir entrar em contato com eles. E eu nem sei se passaria pela cabeça dele ligar para os meus avós. As pessoas que normalmente poderiam dar a notícia do que aconteceu comigo não estão mais em condições de fazer isso.

Permaneço aqui, observando esse corpo entubado e sem vida que sou eu. Minha pele está cinza. Meus olhos fechados com uma espécie de esparadrapo. Queria que alguém viesse tirá-lo. Ele provoca coceira. A enfermeira legal aparece. Ela tem pirulitos no jaleco, embora aqui não seja a unidade de pediatria.

— Como você está, docinho? — pergunta ela, como se tivéssemos acabado de nos encontrar, por acaso, no supermercado.

As coisas não começaram tão bem entre Adam e eu. Acho que eu tinha aquela ideia de que o amor é capaz de superar tudo. E, quando saímos do concerto de Yo-Yo Ma, tanto eu quanto ele nos demos conta de que estávamos nos apaixonando. Pensei que essa fase era o grande desafio. Nos livros e nos filmes, as histórias sempre acabam quando as duas pessoas finalmente dão o beijo romântico e o "foram felizes para sempre" fica implícito, simples assim.

Não foi bem assim com a gente. O fato de pertencermos a dois universos sociais completamente diferentes tinha lá suas desvantagens. Continuamos a nos encontrar na ala de música, mas nossas conversas eram muito formais, como se nenhum de nós quisesse estragar o que tinha acontecido de bom. Mas quando nos encontrávamos em qualquer outro lugar da escola — quando sentávamos juntos na cantina ou quando estudávamos um ao lado do outro no pátio num dia ensolarado era como se algo estivesse errado. Adam e eu nos sentíamos desconfortáveis um com o outro. A conversa era artificial. Quando um começava a falar sobre determinado assunto, o outro falava também, simultaneamente, sobre outro assunto totalmente diferente.

— Vai, fala você — disse eu.

— Não, fala você primeiro — respondeu Adam.

Toda essa gentileza era terrível. Eu queria superar isso, voltar ao brilho daquela noite no concerto, mas não sabia ao certo o que precisava fazer para recuperar aquilo.

Adam me convidou para assistir a um ensaio da banda dele. E foi pior do que na escola. Se eu já me sentia um peixe fora d'água na minha própria família, me senti um peixe em Marte entre os amigos de Adam. Ele estava sempre cercado de pessoas animadas e descoladas, garotas bonitas que tingiam o cabelo e usavam piercing, caras rebeldes que se entusiasmavam quando o Adam começava a conversar sobre rock com eles. Eu não me encaixava no grupo. E definitivamente não sabia como conversar sobre rock. Era uma linguagem que eu deveria ter aprendido, já que era musicista e filha de pai também músico, mas não aprendi. É como os falantes de mandarim, que mais ou menos conseguem entender cantonês, mas não compreendem de fato a língua; mesmo que pessoas que não são chinesas suponham que todos os chineses podem se comunicar entre si, o fato é que o mandarim e o cantonês são, na verdade, dialetos diferentes.

Eu odiava ter de ir aos shows de Adam. Não por ciúmes, nada disso. Nem porque eu não era muito fã daquele tipo de música. Eu adorava observá-lo tocando. Quando Adam estava no palco, era como se a guitarra e ele fossem um só, o instrumento uma extensão natural do seu corpo. E, quando descia, ele estava todo suado, mas era um tipo de suor tão limpo que parte de mim se sentia tentada a lamber o seu rosto, como se Adam fosse um pirulito. Mas não fazia isso.

Quando as fãs se aproximavam dele, eu me esgueirava e ficava num canto. Adam tentava me puxar de volta, colocava o braço ao redor da minha cintura, mas eu me desvencilhava dele e voltava para as sombras.

— Você não gosta mais de mim? — repreendeu-me Adam depois de certo show. Ele estava brincando, mas pude sentir por trás daquela pergunta repentina que Adam estava chateado.

— Não sei se devo continuar vindo para os seus shows — falei.

— Por que está dizendo isso? — perguntou. Dessa vez, ele não se preocupou em esconder a mágoa.

— Acho que a minha presença acaba impedindo você de curtir melhor as coisas. Não quero ser uma preocupação pra você.

Adam disse que não se incomodava em ter de se preocupar comigo, mas posso dizer que parte dele se importava sim.

Provavelmente, Adam e eu teríamos terminado naquelas primeiras semanas não fosse pela minha família. Na minha casa, com a minha família, nos sentíamos em terra firme. Depois de um mês de namoro, levei o Adam para o nosso primeiro jantar em família. Ele se sentou na cozinha com o meu pai e os dois ficaram falando sobre rock. Fiquei observando, e mesmo sem entender metade do que falavam, diferentemente dos shows da banda dele, não me senti excluída.

— Você joga basquete? — perguntou meu pai. Em se tratando de assistir aos jogos, meu pai era um fanático por beisebol, mas quando o assunto era jogar, ele preferia fazer cestas no basquete.

— Claro — respondeu Adam. — Quer dizer, não sou muito bom...

— Você não precisa ser bom, só precisa se empenhar. Quer jogar um pouco? Você já está com os seus tênis de basquete — disse meu pai, olhando para os tênis de cano alto de Adam. Depois, ele se virou para mim: — Se importa?

— Nem um pouco — respondi, sorrindo. — Vou treinar um pouco enquanto vocês jogam.

Os dois foram para a quadra de uma escola primária que ficava bem perto de casa. Retornaram quarenta minutos depois. Adam estava com a pele brilhando, suado e parecia meio aturdido.

— O que aconteceu? — perguntei. — O coroa derrubou você?

Adam balançou a cabeça, afirmando, mas depois a balançou de novo, negando.

— Bem, sim, é mais ou menos isso. Uma abelha picou a palma da minha mão enquanto estávamos jogando e o seu pai agarrou a minha mão e sugou o veneno.

Assenti. Esse era um truque que meu pai tinha aprendido com a vovó, e diferentemente do que se faz com o veneno das cobras, a técnica de fato funcionava com picadas de abelhas. Tiram-se o ferrão e o veneno, e então, resta apenas uma leve coceira.

Adam esboçou um sorriso envergonhado. Depois inclinou-se e sussurrou ao meu ouvido:

— Acho que estou me sentindo meio estranho porque estou mais íntimo do seu pai do que de você.

Dei risada. O que ele disse não deixava de ser verdade. Nas poucas semanas em que estávamos juntos, não havíamos feito nada muito além de nos beijar. E não que eu fosse algum tipo de puritana. Eu *era* virgem, mas certamente não fazia questão de continuar assim. E com certeza Adam não era virgem. O problema é que os nossos beijos também estavam cheios daquela gentileza toda das nossas conversas.

— Talvez seja hora de mudarmos isso — sussurrei de volta.

Adam ergueu as sobrancelhas como se quisesse me perguntar algo. Fiquei com as bochechas coradas. Durante todo o jantar, sorrimos um para o outro enquanto ouvíamos Teddy, que não parava de falar sobre os ossos de dinossauro que ele aparentemente tinha desenterrado do jardim naquela tarde. Papai havia feito sua famosa carne assada, que era o meu prato favorito, mas eu não tinha o menor apetite, então, fiquei revirando a comida no prato, na esperança de que ninguém notasse. Enquanto isso, uma agitação crescia dentro de mim. Pensei no diapasão que uso para afinar o violoncelo. Quando eu o utilizava, atingia notas de "Lá" — vibrações que aumentavam, aumentavam, até que a afinação harmônica atingia todo o espaço. Era isso que o sorriso de Adam estava causando dentro de mim durante aquele jantar.

Depois que jantamos, Adam deu uma olhadela no achado fóssil de Teddy. Em seguida, subimos para o meu quarto e fechei a porta. Kim não tinha permissão para ficar sozinha em casa com garotos (não que ela tenha tido a oportunidade). Meus pais nunca estabeleceram nenhuma regra em relação a isso, mas tive a sensação de que eles sabiam o que estava acontecendo entre o Adam e eu e, embora meu pai gostasse de bancar o *Papai sabe tudo*, meus pais eram uns tapados quando o assunto era amor.

Adam deitou na minha cama e cruzou os braços por detrás da cabeça. Sua expressão era puro sorriso: olhos, nariz, boca.

— Me toque — disse ele.

— O quê?

— Quero que me toque como você faz com o violoncelo.

Comecei a retrucar, dizendo que aquilo não fazia o menor sentido, mas então percebi que fazia todo o sentido. Fui até o meu armário e peguei um dos meus arcos.

— Tire a camiseta — falei com a voz trêmula.

E Adam obedeceu. Mesmo sendo magro, ele tinha um corpo surpreendente. Eu poderia ter ficado ali por vinte minutos, só observando os contornos do seu tórax. Mas ele queria que eu me aproximasse mais. E *eu* também queria.

Sentei ao lado dele na cama, e o corpo do Adam estava ali, todo esticado bem à minha frente. O arco tremeu quando o coloquei sobre a cama. Com a minha mão esquerda, acariciei a cabeça de Adam como se fosse a voluta do violoncelo. Ele sorriu e fechou os olhos. Eu me senti mais à vontade. Toquei as orelhas dele como se fossem as cravelhas, brinquei um pouco com elas e Adam sorriu, discretamente. Coloquei dois dedos sobre as maçãs do rosto dele. Em seguida, depois de respirar fundo para tomar coragem, fui para o tórax dele. Passei a mão para cima e para baixo, percorrendo todo o torso, concentrando-me nos tendões musculares, imaginando que cada um deles representava uma nota: Lá, Sol, Dó, Ré. Rocei a ponta dos dedos sobre elas, uma por vez. Adam permaneceu em silêncio como se tivesse concentrado em alguma coisa.

Peguei o arco e o passei na altura do quadril dele, onde imaginei que seria a ponte do violoncelo. Comecei a tocar devagar, mas depois aumentei a velocidade e a força como se a música que estava tocando na minha cabeça estivesse aumentando de intensidade. Adam continuou imóvel, deixando apenas escapar alguns gemidos por entre os lábios. Olhei para o arco, para as minhas mãos e para o rosto de Adam e fui tomada por uma explosão de amor, desejo e por um estranho sentimento de poder. Nunca imaginei que *eu* pudesse fazer alguém se sentir dessa forma.

Quando terminei, ele se sentou e me beijou, um beijo longo e profundo.

— É a minha vez — disse Adam.

Ele me colocou de pé e começou a tirar a minha camiseta e abaixar a minha calça jeans. Depois, sentou na cama e me deitou sobre o seu colo. A princípio, Adam não fez nada, só me abraçou. Então fechei os olhos para sentir o seu olhar sobre o meu corpo, senti-lo me olhar como nunca ninguém jamais o fizera.

Então ele começou a tocar.

Adam dedilhou as cordas em cima do meu peito, como se elas estivessem ali, o que me fez sentir cócegas e dar risada. Delicadamente, ele passou as mãos um pouco mais embaixo. Parei de rir. As vibrações do diapasão começaram a ficar ainda mais fortes, e se intensificavam toda vez que o Adam me tocava em algum lugar que não tinha tocado antes.

Depois de certo tempo, ele começou a dedilhar como num acorde espanhol, uma batida mais concentrada e rápida. Usou a parte de cima do meu corpo como se fosse o braço do violão, e acariciou o meu cabelo, meu rosto, meu pescoço. Tocou o meu seio e a minha barriga, mas pude senti-lo em lugares onde a mão dele nem tinha passado perto. À medida que me tocava, a agitação interna aumentava, o diapasão emitia vibrações enlouquecedoras, ardentes, descontroladas, até que o meu corpo inteiro estava zunindo e eu, sem fôlego. E quando senti que não poderia aguentar nem mais um minuto, um turbilhão de sensações se transformou num *crescendo* estonteante, levando cada parte do meu corpo ao delírio, ao estado de alerta máximo.

Abri os olhos, saboreando a calma enternecedora que percorria todo o meu corpo. Comecei a rir. E Adam também. Nos beijamos por muito tempo até que chegou a hora de ele ir para casa.

Eu o acompanhei até o carro e senti vontade de dizer-lhe que o amava. Mas seria algo muito clichê depois do que tínhamos feito. Então esperei e disse que o amava no dia seguinte.

— Que alívio! Pensei que você só estava me usando como objeto sexual — brincou ele, dando risada.

Depois disso, continuamos tendo problemas, mas a gentileza excessiva de um com o outro certamente não era mais um deles.

16h39

Agora tem uma porção de gente no hospital. Vovó e vovô. Tio Greg. Tia Diane. Tia Kate. Meus primos Heather, John e David. O papai tem quatro irmãos, então ainda deve haver muitos outros parentes por aqui. Ninguém fala sobre Teddy, o que me leva a pensar que ele não está aqui. Provavelmente ele está em outro hospital, sendo acompanhado por Willow.

Meus parentes estão reunidos na sala de espera do hospital, mas não é a mesma sala pequena no piso do centro cirúrgico onde vovô e vovó ficaram aguardando durante a cirurgia. É uma sala maior que fica no piso principal do hospital e que é muito bem decorada com tons de malva e possui cadeiras e sofás confortáveis, e exemplares quase atuais de revistas. Todos ainda conversam sussurrando, como que por respeito às outras pessoas que também esperam, embora haja apenas pessoas da minha família na sala de espera. É tudo tão sério, tão sinistro... Volto para o corredor para dar um tempo.

Fico extremamente feliz quando Kim chega; feliz ao ver o seu cabelo preto e longo tão familiar, preso por uma trança. Ela usa trança diariamente, e todos os dias, lá pelo horário do almoço, os cachos do seu cabelo grosso já começavam a escapar do penteado, formando pequenas gavinhas ao redor do seu rosto. Mas Kim não se rende ao seu cabelo rebelde, então, todas as manhãs, ela volta para a trança de sempre.

A mãe de Kim a acompanha. Ela não deixa Kim dirigir sozinha para lugares muito distantes e, creio que depois do que aconteceu, não há a menor chance de ela ter aberto uma exceção hoje. A sra. Schein está com o rosto vermelho e manchado, como se tivesse chorado ou estivesse prestes a chorar. Sei disso porque já a vi chorando muitas vezes. Ela é muito emotiva. "Rainha do drama" como Kim costuma chamá-la. "É culpa do gene da mãe judia. Ela não consegue evitar e acho que um dia, vou ser assim também", disse Kim.

Kim é exatamente o oposto da mãe, tão divertida e engraçada que ela sempre tem de dizer "estou brincando" para as pessoas que não estão acostumadas com o seu senso de humor. Não consigo imaginá-la agindo como a Sra. Schein. Por outro lado, não tenho como fazer muitas comparações. Não há muitas mães judias na nossa cidade nem muitos alunos judeus na minha escola. E, aqueles que são judeus, são apenas por parte de mãe ou de pai, o que significa que eles usam um menorá ao lado da árvore de Natal.

Mas Kim é judia mesmo. Às vezes, janto com a família dela às sextas-feiras, e eles acendem as velas, comem pão trançado e tomam vinho (é o único momento em que imagino a neurótica sra. Schein permitindo que a Kim tome algo alcoólico). Eles esperam que Kim namore apenas caras judeus, o que significa que ela não namora. Ela brinca dizendo que é por isso que a família dela se mudou para lá, quando na verdade, eles se mudaram porque o seu pai foi contratado para administrar uma fábrica de chips de computador. Aos treze anos, Kim teve seu *bat mitzvah* num templo em Portland e, durante a cerimônia para acender as velas na recepção, fui chamada para acender uma delas. Todo verão, ela vai para uma colônia de férias em Nova Jersey, que se chama Camp Torah Habonim, mas Kim a chama de "Torah pegação", porque todo mundo vai para lá para ficar com alguém.

— É igualzinho a um acampamento de bandas — brinca ela, embora o meu programa de verão do conservatório não seja nada parecido com *American Pie*.

Dá para ver que Kim está aborrecida. Ela caminha rápido, mantendo uma distância razoável de sua mãe, enquanto elas marcham pelos corredores. De repente, ela ergue os ombros feito um gato que acaba de avistar um cachorro. Kim vira-se e olha para a mãe.

— Pare! — exige Kim. — Se eu não estou chorando, não sei por que diabos você deveria estar.

Kim nunca diz palavrões, nem ofensas. Então, fico chocada.

— Mas — retruca a sra. Schein —, como é que você pode estar tão... — soluça — tão calma quando...

— Chega! — intervém Kim. — Mia ainda está aqui. Então eu não vou me descontrolar. E, se eu não vou me descontrolar, você também não pode!

Kim volta a caminhar na direção da sala de espera, e a mãe dela vem logo atrás, caminhando devagar. Quando chegam e veem a minha família, a sra. Schein começa a fungar.

Desta vez Kim não briga, nem a ofende, mas fica com as orelhas vermelhas, e é por isso que sei que ela continua furiosa.

— Mãe, fique aqui, preciso caminhar um pouco. Volto logo.

Sigo Kim pelo corredor. Ela anda pelo saguão principal, pela loja de presentes e vai até a lanchonete. Depois olha para a placa de informações do hospital. Acho que sei para onde ela vai agora antes mesmo que ela própria saiba.

Há uma capela pequena no subsolo. É abafado aqui, e silencioso como uma biblioteca. Há cadeiras estofadas parecidas com aquelas de cinema e uma música do tipo New Age toca ao fundo, bem baixinho.

Kim desmorona em uma das cadeiras. Ela tira o casaco — aquele preto de veludo que eu sempre cobicei desde que ela o comprou em um shopping de Nova Jersey numa das visitas à casa de seus avós.

— Amo Oregon — diz ela com um soluço e uma tentativa de dar risada. Pelo seu tom de sarcasmo, posso dizer que é comigo que ela está falando, não com Deus. — Então isso é a ideia de um hospital para todas as religiões — diz ela, apontando ao redor da capela. Há um crucifixo pregado na parede, uma bandeira com uma cruz cobre o púlpito e algumas pinturas da Virgem Maria e do Menino Jesus dependuradas na parede dos fundos. — Temos até uma estrela de Davi aqui — prossegue Kim, gesticulando na direção da estrela com seis pontas que está na parede. — Mas e os muçulmanos? Não há nenhum tapete de oração, nem um símbolo para mostrar em qual direção fica Meca? E quanto aos budistas? Será que não conseguiram trazer um gongo? Acho que existem mais budistas do que judeus em Portland...

Sento-me numa cadeira ao lado dela. O jeito que Kim conversa comigo é tão natural como ela sempre faz. Com exceção da paramédica que me pediu para aguentar firme e da enfermeira que não para de perguntar como estou me sentindo, ninguém mais conversou comigo desde o acidente. Mas eles falam sobre mim.

Eu realmente nunca vi Kim rezar. Digo, ela rezou no seu *bat mitzvah* e faz as suas preces no jantar do *Shabat,* mas isso é porque é obrigada. Na maior parte do tempo, ela pega leve em relação à sua religião. Mas, depois de um tempo conversando comigo, ela fecha os olhos, mexe os lábios e murmura coisas numa língua que não consigo compreender.

Ela abre os olhos e esfrega as mãos uma na outra como se quisesse dizer: é o suficiente. Depois, ela reconsidera e acrescenta uma prece final.

— Por favor, não morra. Até consigo entender que você tenha motivos para desejar isso, mas pense um pouco: se você morrer, vamos ter um daqueles funerais cafonas na escola, tipo o da Princesa Diana, e todo mundo vai colocar flores, velas e bilhetes perto do seu caixão. — Com o dorso da mão, ela enxuga uma lágrima que insiste em cair. — Sei que você odiaria esse tipo de coisa.

Talvez fosse o fato de sermos muito parecidas. Bastou Kim entrar em cena para todos deduzirem que seríamos melhores amigas, isso porque nós duas somos meio estranhas, quietas, estudiosas e, pelo menos externamente, sérias. Não éramos alunas excelentes (nossa média em todas as matérias era oito), nem tão sérias assim. Encarávamos certos assuntos com seriedade — música no meu caso, arte e fotografia no caso dela — e, no mundo simplista do Ensino Médio, isso era o bastante para nos considerar como um tipo de irmãs gêmeas separadas na maternidade.

Logo de cara, começaram a nos colocar para fazer tudo juntas. No terceiro dia em que Kim estava na escola, ela foi a única pessoa que se prontificou a ser a capitã do time durante uma partida de futebol na aula de Educação Física, o que achei certo puxa-saquismo de sua parte. Quando ela vestiu o colete vermelho, o professor olhou para a sala à procura de um capitão para o time B e fixou os olhos sobre mim, embora eu fosse uma das alunas menos atléticas. Enquanto eu colocava o meu colete, passei por Kim e murmurei:

— Muito obrigada pelo que você fez.

Na semana seguinte, nosso professor de Literatura nos colocou juntas para um debate sobre *O sol é para todos*. Ficamos sentadas, uma de frente para a outra durante dez minutos, num silêncio fúnebre. Por fim, falei:

— Acho que deveríamos falar sobre o racismo no Sul ou alguma coisa do tipo.

Kim nem sequer revirou os olhos, o que me fez sentir vontade de jogar o dicionário nela. Fiquei surpresa com a intensidade com que a odiei.

— Li esse livro na outra escola em que estudei. Racismo é um tópico meio óbvio. Acho que o lance maior é a bondade das pessoas. Será que elas são naturalmente boas e se transformaram em más por questões como o racismo, ou somos todos naturalmente maus e precisamos lutar contra isso com todas as nossas forças? — disse ela.

— Que seja — respondo. — É um livro idiota. — Não sei por que eu disse aquilo, na verdade, eu tinha amado o livro e tinha até mesmo conversado com papai a respeito da história (ele estava usando a obra para as suas aulas). Detestei Kim mais ainda por ela ter me feito odiar um livro que eu amava.

— Está bem, então. Vamos seguir a sua ideia — afirmou Kim e, quando ela viu que tiramos um seis, pareceu se vangloriar diante da nossa nota medíocre.

Depois disso, simplesmente não nos falávamos mais, o que não fez os professores deixarem de nos colocar juntas para os trabalhos em dupla e ninguém na escola deixou de acreditar que Kim e eu éramos amigas. Quanto mais essas coisas aconteciam, mais ficávamos irritadas com a situação e uma com a outra. Quanto mais o mundo nos unia, mais nos afastávamos e ficávamos uma contra a outra. Tentávamos fingir que a outra não existia, muito embora a simples existência da nossa adversária fosse o suficiente para nos manter ocupadas por horas.

Senti-me obrigada a encontrar razões para odiar Kim: ela era daquelas meninas certinhas que se orgulhava do seu estado virginal, era chata e gostava de se aparecer. Depois, descobri que ela pensava exatamente o mesmo sobre mim, apesar de saber que sua queixa principal em relação a mim fosse a de que eu era uma vaca. Um dia, ela chegou até mesmo a escrever isso. Na aula de Literatura, alguém jogou uma folha de caderno dobrada no chão, bem próxima ao meu pé direito. Peguei a folha e ao abri-la, li: *Vaca!*

Ninguém nunca tinha me chamado daquilo e, ainda que eu tenha me sentido furiosa, no fundo me senti lisonjeada por ter provocado tamanho sentimento digno de receber um palavrão daquele.

As pessoas chamavam a minha mãe de vaca com frequência, provavelmente porque ela tinha dificuldades de segurar a língua e conseguia ser brutalmente grosseira quando discordava de alguém. Minha mãe explodia feito uma tempestade de verão, e depois se acalmava. De qualquer modo, ela não se importava que as pessoas a chamassem de vaca. — É só um jeito diferente de me chamar de feminista — dizia ela com orgulho. Até mesmo papai a chamou assim algumas vezes, mas sempre brincando, como se fosse até um elogio. Mas nunca a chamava assim durante uma briga. Ele sabia muito bem o que era melhor para ele.

Tirei os olhos do livro de Gramática e ergui a cabeça. Havia apenas uma pessoa que poderia ter enviado esse bilhete para mim, mas mesmo assim, eu não conseguia acreditar. Olhei ao redor. Todos estavam com a cara grudada nos livros, exceto Kim. Suas orelhas estavam tão vermelhas que os cachos em forma de gavinhas que recaíam sobre as laterais de seu rosto pareciam até mais escuros, como se também estivessem enrubescidos. Ela me encarou. Eu tinha apenas onze anos e, embora fosse socialmente imatura, era capaz de reconhecer um desafio quando ele estava diante de mim e eu não tinha a menor escolha a não ser aceitá-lo.

Quando ficamos mais velhas, costumávamos brincar dizendo que a nossa briga de socos foi um ótimo acontecimento. Ela não só consolidou a nossa amizade como também nos deu a primeira e provavelmente a única oportunidade de entrar numa boa briga. Em que outra ocasião duas garotas como nós sairiam na porrada? Eu brincava de luta no chão com Teddy e às vezes eu até o beliscava, mas sair na porrada? Ele era apenas um bebê, e mesmo que fosse mais velho, Teddy era o meu irmãozinho e meio que como filho para mim. Cuidei dele desde as suas primeiras semanas de vida, jamais o machucaria dessa forma.

E Kim, que era filha única, não tinha nenhum irmão para socar. Talvez, na colônia de férias, ela pode ter se metido em alguma briga, mas as consequências teriam sido horríveis: sermões intermináveis com conselheiros e um rabino para a resolução de conflitos. — O meu povo sabe lutar como ninguém, mas com palavras, palavras, muitas palavras! — contou-me Kim certa vez.

Mas naquele dia de outono, saímos na porrada mesmo. Depois que tocou o sinal da última aula, sem dizer uma palavra sequer, nós duas fomos até o pátio, jogamos a nossa mochila no chão (que estava molhado pela garoa que não parou de cair, o dia inteiro). Kim partiu para cima de mim, me deixando sem fôlego. Eu dei um soco na lateral da cabeça dela com o punho cerrado, como os homens fazem. Os alunos se aglomeraram ao nosso redor para assistirem ao espetáculo. Brigas eram uma novidade em nossa escola. Uma briga entre meninas, então? Uma meganovidade! E entre garotas boazinhas ainda, nem se fala! Era como assistir a uma final de Copa do Mundo no camarote.

Quando os professores nos separaram, metade dos alunos da sexta série estava nos assistindo (na verdade, foi o círculo de alunos parados ali, ao nosso redor, que chamou a atenção dos monitores, delatando que algo de errado estava acontecendo). A briga deu num empate, creio eu. Fiquei com o lábio cortado e machuquei um pulso, sendo que este último machucado foi causado por mim mesma, quando tentei acertar o ombro de Kim e acertei em cheio o ferro do poste que segurava a rede de vôlei. Kim ficou com um olho inchado e um arranhão na coxa, que ela ganhou graças a um tropeção contra a sua própria mochila enquanto tentava me acertar com um chute.

Não fizemos as pazes com sinceridade, tampouco um cessar-fogo oficial. Logo que os professores nos separaram, Kim e eu nos olhamos e começamos a rir. Depois que conseguimos escapar de uma visita à sala da diretoria, cada uma foi para a sua casa, mancando. Kim me contou que só se ofereceu para ser a capitã do time porque quando se faz isso no começo do ano, o professor provavelmente se lembrará disso, e assim, no futuro, ele evitará de te escolher novamente (uma dica valiosa que passei a pôr em prática daquele momento em diante). Expliquei a ela que de fato eu concordava com a sua interpretação de *O sol é para todos* e que ele era um dos meus livros favoritos. E isso foi tudo. Tornamo-nos amigas, como todos já tinham presumido que aconteceria. Nunca mais levantamos a mão uma para a outra e, apesar de termos discutido inúmeras vezes, nossos bate-bocas de maneira geral terminavam do mesmo jeito que aquela briga de socos que tivemos: com um ataque de risos.

Porém, depois que saímos na porrada, a sra. Schein se recusou a deixar Kim vir à minha casa, convencida de que sua filha voltaria usando muletas. Minha mãe se ofereceu para ir até a casa dela e acalmar os ânimos, mas acho que tanto papai quanto eu percebemos que, considerando o temperamento da mãe de Kim, a missão diplomática da minha mãe poderia acabar numa medida judicial contra a minha família. No final das contas, papai convidou os Schein para um jantar com frango assado e, embora estivesse claro que a sra. Schein ainda continuava um pouco receosa em relação à minha família, o que se notava pelas perguntas que ela fez ao meu pai: — Então você trabalha numa loja de música enquanto estuda para ser professor? E é *você* quem cozinha aqui? Que estranho! —, o sr. Schein considerou que os meus pais eram decentes, que a nossa família não era violenta e convenceu sua esposa de que Kim teria permissão para frequentar a nossa casa.

Durantes aqueles poucos meses em que estudamos juntas na sexta série, Kim e eu tivemos a nossa imagem de meninas boazinhas desfeita.

Os boatos sobre a nossa briga se espalharam e os detalhes ficaram cada vez mais exagerados — costelas quebradas, unhas arrancadas, marcas de mordida. Mas quando retornamos para a escola depois das férias de inverno, tudo já havia sido esquecido e voltamos a ser as gêmeas boazinhas, quietas e estranhas.

Não dávamos mais importância a isso. Na verdade, essa reputação nos caiu bem com o passar dos anos. Por exemplo, se nós duas faltássemos à aula, as pessoas automaticamente deduziam que estávamos com a mesma doença, não que tínhamos cabulado aula para assistir a algum filme de arte que estava passando na aula de cinematografia numa das salas da universidade. Quando, por brincadeira, alguém colocava a nossa escola à venda, cobrindo as paredes com placas e postando anúncios no eBay, as suspeitas recaíam sempre sobre Nelson Baker e Jenna McLaughlin, nunca sobre nós. Mesmo que de fato fôssemos as culpadas — e que tivéssemos combinado que só confessaríamos caso alguém tivesse problemas com isso —, seria difícil convencer as pessoas de que nós éramos as verdadeiras responsáveis.

Kim sempre ria dessas coisas.

— As pessoas acreditam no que querem acreditar — dizia ela.

16h47

Certa vez, mamãe conseguiu fazer com que eu entrasse num cassino. Estávamos de férias, a caminho de Crater Lake, quando paramos num resort em uma reserva indígena para almoçarmos num restaurante. Mamãe decidiu jogar um pouco e eu fui com ela, enquanto papai ficou com Teddy, que estava dormindo no carrinho de bebê. Mamãe sentou-se à mesa de *blackjack*. O carteador olhou para mim, depois para a mamãe, que retribuiu ao olhar suspeito dele com um olhar suficientemente afiado para cortar um diamante, seguido de um sorriso mais brilhante do que qualquer gema preciosa. De um jeito tímido, o carteador retribuiu ao sorriso e não disse uma palavra sequer. Sentindo-me hipnotizada, observei mamãe enquanto ela jogava. Parecia que estávamos ali há apenas poucos minutos, mas na verdade já fazia algum tempo, foi quando o papai e Teddy vieram à nossa procura, os dois reclamando. No final das contas, acabamos ficando lá por mais de uma hora.

Na UTI, é quase igual. Não se sabe ao certo que horas são nem quanto tempo se passou. Não há luz natural. E há um barulho constante, mas não os dos bipes eletrônicos das máquinas caça-níqueis e do retinir das moedas, posso ouvir o zumbido de todos os equipamentos médicos, o som interminável e abafado das páginas reviradas pelos médicos auxiliares, e a conversa constante dos enfermeiros.

Não tenho muita certeza de quanto tempo estou aqui. Há pouco, a enfermeira que tem aquela voz agradável e de quem eu gosto, disse que estava indo para casa.

— Volto amanhã, mas quero vê-la aqui, docinho — disse ela.

A princípio, achei isso estranho. Ela não deveria desejar que eu fosse para casa, ou mesmo removida para outra parte do hospital? Foi então que me dei conta de que o que ela queria era me ver aqui, viva, e não morta.

Os médicos continuam circulando, levantando as minhas pálpebras e examinando-as com a luz de uma lanterna. São sempre rudes e apressados, como se não considerassem as pálpebras dignas de delicadeza, e isso me faz perceber as pouquíssimas vezes em que tocamos as pálpebras de alguém durante a nossa vida. Talvez um pai ou uma mãe levante as pálpebras do filho para tirar algum grão de poeira dos seus olhos, ou talvez o namorado beije as pálpebras da namorada com tanta delicadeza quanto o bater de asas de uma borboleta antes de sua amada cair no sono. Mas as pálpebras não são como cotovelos, joelhos ou ombros que estão acostumados com empurrões e batidas.

A assistente social está ao lado da minha cama agora. Ela olha o meu prontuário e conversa com uma das enfermeiras que normalmente se senta à mesa grande que fica bem no meio da sala. É incrível a maneira como se é observado aqui. Quando não estão vasculhando por debaixo das suas pálpebras com as lanternas, nem lendo os relatórios que não param de sair das impressoras ao pé da cama, estão acompanhando os seus sinais vitais por meio do monitor de um computador central. Ao menor sinal de alteração, um dos monitores começa a apitar. Sempre há um alarme tocando em algum lugar. No começo, isso me assustava, mas agora percebo que na metade do tempo, quando os alarmes disparam, é por conta de algum problema com as máquinas, e não com as pessoas.

A assistente social parece exausta, como se não ligasse se pudesse se jogar num desses leitos vazios. Eu não sou a única doente que ela acompanha. Ela passou a tarde inteira indo e vindo, acompanhando pacientes e familiares. É a ponte entre os médicos e as pessoas, e é visível a tensão que há para se estabelecer o equilíbrio entre esses dois mundos.

Depois de ler o meu prontuário e conversar com as enfermeiras, a assistente social volta ao andar debaixo para conversar com a minha família, que parou com as conversas sussurradas e agora se ocupa com atividades solitárias. A vovó está fazendo tricô. O vovô finge tirar uma soneca. A tia Diane está jogando sudoku. Meus primos se revezam num minigame, mas com o som no mudo.

Kim saiu. Quando voltou à sala de espera, depois da visita à capela, ela se deparou com a sra. Schein se debulhando em lágrimas. Kim pareceu extremamente constrangida e apressou-se para tirar a mãe dali. Para falar a verdade, acho que ter a sra. Schein ali provavelmente ajudou. Confortá-la fez com que todos se ocupassem com outra coisa, uma maneira de se sentirem úteis. Agora, todos voltaram a se sentir impotentes, na interminável espera.

Quando a assistente social entrou, todos se levantam como se estivessem saudando um membro da realeza. Ela esboça um sorriso discreto, o qual, só hoje, eu já vi muitas vezes. Acho que é o jeito de ela dizer que está tudo bem, ou apenas uma forma de manter a postura, e ela está aqui apenas para trazer as notícias atualizadas, não para lançar uma bomba.

— Mia continua inconsciente, mas seus sinais vitais estão melhorando — anuncia a assistente social aos meus familiares, que abandonaram suas distrações casuais sobre as cadeiras. — Ela está com os fisioterapeutas agora. Eles estão realizando testes para averiguar o quanto os pulmões estão funcionando e se ela conseguirá respirar sem a ajuda dos aparelhos.

— Então, isso é uma boa notícia? — questiona tia Diane. — Se ela puder conseguir respirar sem a ajuda dos aparelhos, isso significa que vai acordar logo?

A assistente social balança a cabeça de um jeito solidário e compreensivo.

— Se ela conseguir respirar sozinha, isso vai ser um ótimo sinal. Significa que os pulmões estão se recuperando e que as contusões internas estão se estabilizando. O ponto de interrogação continua sendo as lesões cerebrais.

— O que é isso? — indaga Heather, minha prima.

— Não sabemos quando ela vai acordar ou o quanto o seu cérebro está comprometido. Estas primeiras vinte e quatro horas são as mais críticas e Mia está recebendo todos os cuidados possíveis.

— Podemos vê-la? — pergunta vovô.

A assistente social fez que sim com a cabeça.

— É por isso que estou aqui. Acho que vai fazer bem para a Mia receber uma visita. Uma ou duas pessoas no máximo.

— Nós vamos — intervém vovó, dando um passo adiante. O vovô está bem ao lado dela.

— Sim, foi isso que pensei — afirma a assistente social. — Não vamos demorar — avisa ela ao restante da família.

Em silêncio, os três caminham pelo corredor. No elevador, a assistente social aparentemente tenta preparar os meus avós para o encontro comigo, explicando a intensidade dos meus ferimentos externos, que parecem horríveis, mas são passíveis de tratamento. A preocupação dos médicos é com os meus ferimentos internos, ela acrescenta.

Ela age como se os meus avós fossem crianças. Mas eles são mais fortes do que aparentam. Vovô foi médico na Coreia. E quanto à vovó, ela está sempre salvando alguma coisa: pássaros com asas quebradas, um castor doente, um cervo atropelado por um carro. O cervo, especialmente, foi enviado para um santuário ecológico, o que é engraçado porque a vovó sempre odiou cervos; eles comem a grama do jardim. "Ratos bonitos", é como ela os chama. "Ratos saborosos", é como o vovô se refere a eles quando assa a carne do bicho. Mas aquele cervo em especial, vovó não suportou ver sofrendo, então o salvou. Uma parte de mim desconfia que ela achou que o animal fosse um dos seus anjos.

Mesmo assim, quando atravessam a porta automática e entram na UTI, tanto vovô quanto vovó param, como se tivessem sido impedidos por uma barreira invisível. Vovó segura a mão do vovô e tento me lembrar se alguma vez os vi de mãos dadas. Vovó procura pela cama onde estou, mas bem no momento em que a assistente social começa a apontar em minha direção, vovô me vê e caminha a passos largos até a minha cama.

— Olá, pequena patinha — diz ele. Há muito tempo vovô não me chamava assim, a última vez foi quando eu era ainda menor que Teddy. Vovó caminha devagar na minha direção, com a respiração entrecortada à medida que se aproxima. Talvez, no final das contas, todos aqueles animais feridos não a tenham preparado efetivamente.

A assistente social puxa duas cadeiras e as coloca ao pé da minha cama.

— Mia, seus avós estão aqui. — Ela gesticula pedindo a eles que se sentem. — Vou deixar você com eles agora.

— Ela pode nos ouvir? — pergunta a vovó. — Se falarmos, ela vai entender?

— Pra ser sincera, eu não sei — responde a assistente social. — Mas a presença dos senhores pode ser reconfortante desde que o que disserem realmente possa ajudá-la.

Então, a mulher olha para os meus avós como se quisesse aconselhá-los a não dizer nada de ruim que pudesse me abalar. Sei que é esse o seu trabalho, alertar as pessoas sobre coisas desse tipo, e que ela está ocupada com milhares de coisas e nem sempre pode ser sensível, mas naquele segundo, eu a odiei.

Depois que a assistente social sai, eles ficam sentados ali, em silêncio. Então a vovó começa a tagarelar sobre as orquídeas que ela plantou na estufa. Percebo que ela trocou de roupa, tirou o avental de jardinagem e está vestindo uma calça de veludo e um suéter. Alguém deve ter ido à casa deles para trazer roupa limpa. Vovô fica ali sentado, imóvel, mas com as mãos tremendo. Ele nunca foi de falar muito, então deve ser difícil para ele ter de conversar comigo agora.

Outra enfermeira passa. Tem o cabelo escuro e os olhos também escuros que brilham pela maquiagem cintilante. Suas unhas são postiças e têm decalques em formato de coração. Ela deve ter muito trabalho para manter as unhas assim, tão bonitas. Admiro isso.

Não é ela a enfermeira que cuida de mim, mas mesmo assim ela se aproxima do vovô e da vovó.

— Não duvidem nem por um minuto que ela consegue ouvi-los — diz ela. — Ela tem consciência de tudo o que está acontecendo.

A enfermeira fica ali parada, com as mãos na cintura. Quase posso vê-la mascando um chiclete. A vovó e o vovô ficam olhando para a mulher, absorvendo o que acabou de dizer.

— Vocês podem achar que são os médicos ou as enfermeiras ou todos estes equipamentos que controlam o show — diz ela, gesticulando na direção dos aparelhos. — Nã-não. É *ela* quem controla o show. Talvez, ela esteja só esperando a hora certa. Por isso, conversem com ela. Digam que pode usar o tempo que for necessário, mas que volte, porque estão esperando por ela.

Mamãe e papai jamais diriam que Teddy e eu fomos algum tipo de erro. Nem de acidente. Muito menos de surpresa. Nem qualquer outro desses eufemismos estúpidos. Mas nenhum de nós foi planejado e meus pais nunca tentaram esconder isso.

Mamãe engravidou de mim quando ainda era jovem. Não uma adolescente, mas era nova, tinha vinte e três anos e já estava casada com papai há um ano.

De um jeito engraçado, papai sempre foi um adepto da gravata-borboleta e sempre um pouco mais tradicional do que se pode imaginar.

Porque embora ele tivesse cabelo tingido de azul, tatuagens, vestisse jaquetas de couro e trabalhasse numa loja de discos, ele quis casar com a minha mãe num momento em que o resto dos seus amigos queriam apenas ficar com as garotas por uma noite depois de encherem a cara.

— *Namorada* é uma palavra idiota — disse ele. — Não suportava chamá-la assim. Então, tivemos de casar para que eu pudesse chamá-la de "esposa".

Mamãe, por sua vez, tinha uma família complicada. Ela nunca me contou detalhes, mas sei que o seu pai abandonou a família e que ela ficou sem falar com a mãe por um tempo, apesar de agora visitarmos nossa avó e o pai Richard (que é como a minha mãe chama o seu padrasto) algumas vezes durante o ano.

Assim, mamãe não foi apenas conquistada pelo papai, mas por toda a sua imensa família, uma família normal em comparação à família dela. Ela concordou em se casar com papai embora eles estivessem juntos há apenas um ano. É claro que fizeram as coisas do jeito deles. O casamento foi feito por uma juíza lésbica enquanto os amigos deles tocavam uma versão heavy metal da "Marcha Nupcial". A noiva usou um vestido de franjas branco e um coturno preto com tachinhas. O noivo usou um traje de couro.

Meus pais engravidaram de mim por causa do casamento de outra pessoa. Um dos integrantes da banda do meu pai tinha se mudado para Seattle e engravidado a namorada, então tiveram de fazer tudo às pressas. Mamãe e papai foram ao casamento e, durante a recepção, beberam mais do que deveriam e ao voltarem para o hotel, não tomaram o cuidado de sempre. Três meses depois, lá estava eu na tirinha azul do teste de gravidez.

Pelo que contaram, nenhum dos dois estava pronto para ter um filho. E nenhum deles se sentia adulto ainda. Mas não houve a menor dúvida de que me teriam. Minha mãe era absolutamente a favor do aborto. Tinha até mesmo um adesivo no vidro do carro onde se lia: *Se você não pode confiar no meu poder de escolha, como pode confiar em mim com um filho*? Mas no caso dela, a escolha foi de levar a gravidez adiante.

Papai estava mais receoso. Mais assustado. Até o momento em que o médico me tirou do ventre e ele começou a chorar.

— Conversa fiada! — dizia ele quando a mamãe contava essa história. — Eu não fiz nada disso.

— Então você não chorou? — perguntava a mamãe com sarcasmo.

— *Lacrimejei*. Mas não chorei. — Então, papai piscava para mim e começava a imitar o choro de um bebê.

Como eu era a única criança entre o grupo de amigos deles, era tudo novidade. Fui criada em meio à comunidade musical, com uma dúzia de tios e tias que me tratavam como se eu fosse filha deles também, mesmo depois que comecei a demonstrar a minha estranha preferência por música clássica. Mas também não me faltou uma família biológica, de verdade. A Vovó e o vovô moravam próximo a nós, e ficavam muitos felizes quando meus pais me deixavam com eles para aproveitarem um fim de semana sozinhos e ficar acordados até tarde durante os shows do papai.

Lá pelos meus quatro anos, acho que meus pais se deram conta do que estavam de fato fazendo — educando uma criança —, embora não fossem ricos, nem tivessem empregos "de verdade". Tínhamos uma casa legal, cujo aluguel era barato. Eu tinha o que vestir (mesmo que fossem as roupas repassadas pelos meus primos) e estava crescendo, feliz e saudável.

— Você foi como um experimento — disse papai. — Surpreendentemente bem-sucedido. Achamos que você foi um acaso, mas um acaso feliz, então precisávamos de outro bebê para funcionar como um grupo de controle.

Meus pais tentaram por quatro anos. Mamãe engravidou duas vezes e sofreu dois abortos espontâneos. Meus pais ficaram tristes por isso, mas não tinham dinheiro para fazer o tratamento de fertilização que as pessoas fazem. Quando eu tinha nove anos, eles decidiram que talvez o melhor fosse que as coisas permanecessem como estavam. Comecei a me tornar independente. E eles, pararam de tentar.

Como uma forma de convencer a si mesmos do quanto foi bom não ter tido outro filho, mamãe e papai compraram passagens para passarmos uma semana em Nova York. Faríamos uma espécie de peregrinação musical. Iríamos ao CBGB e ao Carnegie Hall. Foi então que, para sua surpresa, mamãe descobriu que estava grávida e, para surpresa ainda maior, ela conseguiu manter a gravidez pelos três meses iniciais. Desse modo, tivemos de cancelar a nossa viagem. Mamãe vivia muito cansada, enjoada e mal-humorada e o papai brincou que ela provavelmente assustaria os nova-iorquinos. Além disso, ter um bebê sai caro e precisávamos economizar.

Não fiquei chateada. Estava entusiasmada com o bebê. E sabia que Carnegie Hall não sairia do lugar. Algum dia eu iria até lá.

17h40

Estou um pouco aturdida agora. Vovô e vovó saíram há pouco tempo, mas eu fiquei para trás, aqui, na UTI. Estou sentada em uma das cadeiras, lembrando da conversa entre eles, que foi tranquila até saírem da

UTI. Já do lado de fora, e eu os segui, logo atrás vovô virou-se para o vovó e perguntou:

— Você acredita que a decisão depende dela?

— Que decisão?

Vovô pareceu meio incomodado e diminuiu o passo.

— Ah, você sabe... Decidir... — sussurrou.

— Do que você está falando? — A voz da vovó soou ao mesmo tempo exasperada e terna.

— Sei lá do que estou falando. Quem acredita em anjos aqui é você.

— Mas o que isso tem a ver com a Mia? — indaga vovó.

— Se eles se foram, mas continuam aqui, como você acredita, podem querer que ela se una a eles. E então? E se ela quiser se unir a eles?

— Não funciona assim — retrucou vovó.

— Ah. — Foi tudo o que o vovô respondeu.

E as perguntas se acabaram.

Depois que saíram, fiquei pensando que talvez, algum dia, eu contaria à vovó que eu nunca acreditei muito na teoria dela de que pássaros e coisas do gênero poderiam se tornar anjos da guarda das pessoas. E agora, mais do que nunca, tenho certeza de que esse tipo de coisa não é possível.

Meus pais não estão aqui. Não estão segurando a minha mão, nem tentando me animar. Eu os conheço o suficiente para saber que, se pudessem, eles o fariam. Talvez não os dois. Provavelmente mamãe teria de ficar com Teddy enquanto o papai ficaria comigo. Mas nenhum dos dois está aqui.

E é enquanto reflito sobre isso que penso sobre o que a enfermeira disse. *É ela quem comanda o show*. E, de repente, entendo a pergunta que vovô fez à vovó. Ele também tinha ouvido o que a enfermeira disse. E compreendeu a mensagem antes de mim.

Se eu ficar. Se eu viver. A escolha é minha.

Todo esse lance de coma induzido é papo de médico. Não cabe aos médicos. Não depende dos anjos que não podemos ver. Também não depende de Deus que, se existir, está em algum outro lugar por aí neste momento. Só depende de mim.

Mas como é que eu vou decidir isso? Como é que posso ficar sem mamãe e papai aqui comigo? Como é que posso partir sem Teddy? Ou sem Adam? Isso é demais para mim. Não sei nem mesmo como é que isso funciona, como estou aqui neste estado em que me encontro e nem como sair dele se for este o meu desejo. Se eu pudesse falar, diria que *quero acordar*, e, nesse caso, será que eu acordaria agora mesmo, neste exato momento? Já tentei levantar e sair à procura de Teddy e já tentei me transportar para o Havaí, mas não funcionou. Tudo isso parece demasiadamente complicado.

Mas apesar de tudo, acredito que é verdade. Ouço as palavras da enfermeira de novo. Sou eu quem está no comando. Todos estão esperando por mim.

Sou *eu* quem deve decidir. Agora sei.

E isso me aterroriza mais do que qualquer outra coisa que aconteceu hoje.

E onde será que Adam está?

Uma semana antes do Halloween, no meu último ano do Ensino Médio, Adam apareceu na porta da minha casa, triunfante. Ele segurava uma capa plástica, dessas que a gente usa para proteger o vestido, e estava com um sorriso de orelha a orelha.

— Prepare-se para morrer de inveja. Acabo de conseguir a melhor fantasia do mundo — disse.

Adam abriu o zíper da capa. Dentro, havia uma camisa branca cheia de babados, uma calça curta e um casaco longo de lã com dragonas.

— Você vai se vestir de Seinfeld com uma camisa bufante? — perguntei.

— Pfff! *Seinfeld*. E você se considera uma musicista clássica. Eu vou me vestir de Mozart. Espere, você nem viu os sapatos ainda!

Adam pegou um saco plástico e retirou dele um par de sapatos pretos desajeitados, com fivelas de metal na parte de cima.

— Legal. Acho que minha mãe tem um par igualzinho — falei.

— Você está com inveja porque a sua fantasia não é tão legal quanto a minha. E eu vou usar meia-calça também. Tenho plena consciência da minha masculinidade. E também vou usar uma peruca.

— Onde foi que você conseguiu tudo isso? — perguntei, pegando a peruca que parecia feita de estopa.

— Num site. Paguei só cem dólares.

— Você gastou cem dólares numa fantasia de Halloween?

E ao ouvir a palavra Halloween, Teddy desceu as escadas em disparada, me ignorando totalmente e puxando a corrente que estava presa à carteira de Adam.

— Espere aqui! — exigiu ele, subiu as escadas correndo e voltou alguns segundos depois segurando uma sacola. — Gostou desta fantasia? Ou vou ficar com cara de bebezinho? — perguntou Teddy, tirando um tridente, um par de chifres demoníacos, um rabo vermelho e um macacão vermelho.

— Óóóh! — exclamou Adam dando um passo para trás e arregalando os olhos. — Estou tremendo de medo só de olhar essa fantasia e olha que você nem chegou a vesti-la!

— Sério? Você não acha que o macacão me deixa com cara de bobão? Não quero que fiquem tirando sarro de mim — declarou Teddy com as sobrancelhas franzidas, deixando clara a seriedade do assunto.

Sorri para Adam que se esforçava para sufocar uma gargalhada.

— Macacão vermelho, chifre de diabo e rabo pontiagudo é tão satânico que ninguém vai se atrever a rir de você, a menos que não estejam nem aí para a maldição eterna — assegurou Adam.

Teddy abriu um largo sorriso, mostrando uma janela entre os dentes da frente.

— Foi mais ou menos isso que a mamãe disse, mas eu queria ter certeza de que ela não estava me falando só pra eu não reclamar da fantasia. Vocês vão me levar para brincar de "gostosuras ou travessuras", não é? — Agora, ele olha para mim.

— Como fazemos todos os anos — respondi. — Como é que eu vou conseguir uns doces se não for assim?

— Você também vai com a gente? — perguntou para Adam.

— Não vou perder isso por nada.

Teddy deu meia-volta e subiu as escadas voando. Adam virou-se para mim.

— Teddy já escolheu a fantasia dele. E a sua? Qual vai ser?

— Ah, eu não sou o tipo de garota que usa fantasia.

Adam revirou os olhos.

— Ora, então vai virar uma. É Halloween, o nosso primeiro juntos. A Shooting Star vai fazer um grande show hoje à noite. O traje é à fantasia, e você prometeu que iria.

Por dentro, resmunguei. Depois de seis meses com Adam, me acostumei com a ideia de sermos o casal estranho da escola — as pessoas nos chamavam de "O Moderninho e a Nerd" e eu já estava me acostumando também com os colegas de banda dele e cheguei até mesmo a aprender algumas gírias do rock. Já conseguia me virar bem quando Adam me levava ao Porão do Rock, uma casa meio estranha perto da faculdade onde o resto da banda morava. Eu podia até mesmo participar das festas punk rock em que todos os convidados tinham de levar alguma coisa da própria geladeira, algo que estava próximo de vencer ou estragar. Juntávamos todos os ingredientes e cozinhávamos alguma coisa. Eu era realmente muito boa em encontrar maneiras de transformar carne de soja, beterraba, queijo de cabra e damasco em algo comestível.

Mas continuava odiando os shows e me odiando por isso. Os lugares onde a banda se apresentava eram fumacentos, o que fazia os meus olhos arderem e deixava as minhas roupas fedendo. Os amplificadores reproduziam o som tão alto que a música retumbava e permanecia zunindo nos meus ouvidos mesmo depois do término do show, me impedindo de dormir. Eu me deitava na cama, ficava repassando mentalmente a noite estranha e me sentia cada vez pior diante das cenas.

— Não me diga que você vai amarelar — disse Adam parecendo magoado e irritado ao mesmo tempo.

— Mas e Teddy? Prometemos a ele que o levaríamos para pedir doces e...

— Sim, às cinco da tarde. Precisamos chegar lá no local do show até as dez da noite. Duvido que até mesmo o Mestre Teddy conseguiria brincar de "gostosuras ou travessuras" por cinco horas seguidas. Logo, você não tem desculpa, e é melhor que ponha uma fantasia bem legal porque vou ficar lindo, e num estilo meio século 18.

Depois que Adam saiu para trabalhar, entregando suas pizzas, senti uma pontada no estômago. Subi as escadas e fui praticar a peça de Dvořák que a professora Christie havia me dado como lição de casa, e para digerir o que estava me aborrecendo. Por que eu não gostava dos shows dele? Será que é porque a Shooting Star está ficando famosa e eu estou com ciúmes? Será que o amontoado de tietes que não parava de crescer estava me incomodando? Isso me parecia uma explicação perfeitamente lógica, mas não era verdadeira.

Depois de dez minutos que eu estava tocando, minha ficha caiu: minha aversão aos shows de Adam não tinha nada a ver com a música, nem com as tietes e muito menos com ciúmes. O problema eram as dúvidas. As mesmas dúvidas perturbadoras que sempre tive em relação a não fazer parte de alguma coisa. Eu sentia como se não fizesse parte da minha família e agora era como se eu não pertencesse ao mundo do Adam, exceto pelo fato de que, diferentemente da minha família, que tinha um vínculo comigo, Adam havia me escolhido. E isso eu não conseguia compreender. Por que ele se apaixonou por *mim*? Não fazia o menor sentido. Sabia que a música, acima de tudo, foi o que nos uniu, o que nos colocou no mesmo lugar, de maneira que pudéssemos nos conhecer melhor. E sabia que o Adam adorava a maneira como eu me envolvia com a música e que ele entendia o meu senso de humor que era "tão negro que era quase impossível de se compreender", conforme ele mesmo dizia.

E, por falar em negro, sabia que ele tinha uma queda por garotas com cabelo escuro, porque todas as namoradas que Adam teve tinham o cabelo escuro. E eu sabia que quando ficávamos juntos, sozinhos, poderíamos conversar por horas e horas, ou simplesmente ficar lendo um ao lado do outro, cada um com o seu iPod ligado e ainda assim, nos sentíamos completamente unidos. Tudo isso estava muito bem resolvido e entendido na minha cabeça, mas não no meu coração. Quando eu estava com Adam, me sentia eleita, escolhida, especial, e isso só fazia com que eu me perguntasse ainda mais: *por que eu*?

E talvez fosse este o motivo pelo qual, mesmo que Adam estivesse disposto a assistir a um concerto das sinfonias de Schubert, bem como aos recitais nos quais eu me apresentava, me dando um buquê de lírios (minha flor preferida), eu ainda preferia ir a uma consulta com o dentista a assistir a um dos seus shows. O que era uma grosseria de minha parte. Pensei no que mamãe me dizia, às vezes, quando eu estava me sentindo insegura: "Finja até que as coisas deem certo". Depois que terminei de tocar a peça pela terceira vez, decidi que eu não só iria aos shows dele, mas que daquele momento em diante eu me esforçaria ao máximo para compreender o mundo do Adam, da mesma forma que ele compreendia o meu.

— Preciso da sua ajuda — falei para mamãe naquela noite depois do jantar, enquanto estávamos uma ao lado da outra na pia, lavando a louça.

— Acho que chegamos à conclusão de que eu não sou muito boa em trigonometria. Talvez seja melhor que você tente um tutor on-line ou alguma coisa do tipo — disse mamãe.

— Não é nenhum problema de matemática. É outra coisa.

— Faço o que puder pra ajudar você. O que precisa?

— De um conselho. Quem é a garota mais legal, mais durona, mais sexy e mais roqueira que você conhece?

— Debbie Harry — respondeu.

— Aquel...

— Não terminei — interrompeu mamãe. — Não me peça pra escolher uma só. Isso parece com *A escolha de Sofia*. Tem a Kathleen Hannah. A Patti Smith, Joan Jett. Courtney Love, do seu jeito destrutivo e maluco. Lucinda Williams que, embora cante *country*, é tão durona quanto as garras de um tigre. Tem a Kim Gordon do Sonic Youth, que já está chegando aos cinquenta e continua firme e forte. Cat Power. Joan Armatrading. Mas por que quer saber isso? Alguma pesquisa para estudos sociais?

— Mais ou menos — respondi, enxugando um dos pratos. — É para o Halloween.

Mamãe juntou as mãos cheias de sabão num gesto de satisfação.

— Você está pensando em se fantasiar como uma de nós?

— Sim. Você pode me ajudar?

Mamãe saiu do trabalho mais cedo para vasculharmos as lojas. Ela decidiu que seria melhor criar um look de roqueira próprio para mim, mais do que tentar copiar alguma artista. Compramos uma calça de couro justa e brilhante, uma peruca loira com franja, à lá Debbie Harry nos anos 1980, na qual a mamãe pintou algumas mechas com tinta roxa. De acessórios, compramos uma pulseira de couro preta para um braço e um conjunto com vinte braceletes agrupados para o outro. Minha mãe encontrou uma camiseta antiga dela da banda Velvet Underground — e me advertiu para não tirá-la de jeito nenhum, pois temia que alguém a roubasse e a vendesse no eBay por centenas de dólares — e botas pretas de couro e bico fino, as mesmas que ela usou em seu casamento.

No Halloween, ela me maquiou, desenhando com o delineador traços espessos e pretos, que deixaram meus olhos com um ar de perigosos. Um pó compacto para deixar a minha pele pálida. Desenho de um corte profundo e vermelho nos meus lábios. Um anel no nariz. Quando olhei no espelho, vi minha mãe me espreitando. Talvez fosse pela peruca loira, mas aquela foi a primeira vez de fato que me senti como um membro da minha família.

Meus pais e Teddy ficaram lá embaixo esperando por Adam enquanto eu fiquei no meu quarto. Era como se aquilo fosse um baile de formatura ou algo do gênero. Papai ficou com a câmera. Mamãe estava praticamente dançando de tanto entusiasmo. Quando Adam atravessou a porta, dando um banho daquelas balas Skittles para Teddy, mamãe e papai me avisaram para descer.

Desci as escadas com o maior cuidado possível, sobre os saltos. Esperava que Adam fosse ficar enlouquecido quando me visse, sua namorada que sempre usava jeans e suéteres, toda produzida. Mas ele me cumprimentou com aquele sorriso de sempre, com uma risadinha a mais.

— Fantasia legal. — Foi tudo o que ele disse.

— Só estou retribuindo. Nada mais justo — falei, apontando para o traje à la Mozart dele.

— Acho que você está assustadora, mas linda — disse Teddy. — Eu ia dizer sexy, também, mas sou seu irmão, então não ia ser legal.

— Como é que você sabe o que significa *sexy*? Você só tem seis anos — indaguei.

— Todo mundo sabe o que significa *sexy* — ele respondeu.

Todos, menos eu, pensei. Mas naquela noite, acho que aprendi. Quando batemos às portas para perguntar por "gostosuras ou travessuras?", meus próprios vizinhos que me conheciam há anos não me reconheceram. Caras que nunca nem sequer me olharam de relance, me olharam não uma, mas duas vezes. E, toda vez que isso acontecia, eu me sentia um pouquinho mais como a garota sexy e perigosa que eu estava fingindo ser. Fingir até que as coisas dessem certo parece que, de fato, funcionava.

O clube onde a Shooting Star se apresentaria estava lotado. Todos estavam fantasiados, a maioria das garotas com roupas insinuantes, muitas num estilo empregada francesa com decotes generosos, dominadoras com chicotes à mão, Dorothys de *O mágico de Oz* num estilo muito mais vulgar, com minissaias que deixavam a cinta liga à mostra, o que normalmente me fazia sentir como uma completa idiota. Mas não me senti uma idiota naquela noite, mesmo que aparentemente ninguém tenha notado que eu estava fantasiada.

— Você tinha que ter vindo fantasiada — retrucou um cara com fantasia de esqueleto antes de me oferecer uma cerveja.

— Nossa! AMEI a sua calça! — exclamou uma garota bem no meu ouvido. — Você comprou em Seattle?

— Você não faz parte da Crack House Quartet? — perguntou um cara com uma máscara de Hillary Clinton, se referindo a uma banda que Adam amava e eu odiava.

Quando a Shooting Star começou a tocar, não fiquei nos bastidores, que era o que eu normalmente fazia. Lá, eu poderia simplesmente me sentar numa cadeira, sem ninguém para atrapalhar a minha visão do show e sem ter de conversar. Desta vez, fiquei no bar e, quando a mesma garota que me perguntou sobre a calça me agarrou pelo braço, me juntei a ela para dançar no meio da pista, no bate-cabeça.

Nunca tinha participado de um bate-cabeça na minha vida. Nunca me interessei por correr em círculos, bêbada, entre os caras grandões com roupas de couro que pisariam nos meus pés. Mas naquela noite, me deixei envolver por tudo aquilo. Entendi qual era a sensação de dividir a energia com a multidão e absorver a energia deles também. Entendi que quando você está ali, as coisas acontecem naturalmente, e que não precisa caminhar ou dançar. Basta apenas se deixar levar como se estivesse sendo sugada por um redemoinho.

Quando Adam terminou a apresentação, eu estava ofegante e suada, do mesmo jeito que ele. Não fui para os bastidores cumprimentá-lo antes de todo mundo. Esperei que ele viesse até a plateia para cumprimentar todos, do jeito que sempre fazia ao final de cada show. E, quando ele apareceu, com uma toalha pendurada no pescoço e bebendo a goladas uma garrafa de água, me atirei em seus braços e dei-lhe um beijão de língua, sem sentir vergonha, e na frente de todos. Pude sentir que ele sorria enquanto me beijava.

— Uau! Parece que alguém aqui incorporou o espírito de Debbie Harry — disse ele, limpando um pouco do batom que manchou o seu queixo.

— Acho que sim. E você? Está se sentindo meio Mozart?

— Tudo que sei sobre ele é o que vi no filme. Mas lembro que no filme ele estava excitado, e, depois desse beijo, acho que estou também. Podemos ir? Vou arrumar as coisas e já vamos embora.

— Não, vamos ficar aqui até o final.

— *Sério*?! — perguntou Adam com as sobrancelhas erguidas, surpreso.

— Sim. Acho até que posso ir para o bate-cabeça com você.

— Você bebeu? — ele brincou.

— Só refrigerante — respondi.

Dançamos, parando de vez em quando para um beijo, até o clube fechar.

A caminho de casa, Adam segurou a minha mão enquanto dirigia. Várias vezes ele virou para me olhar e sorriu, sacudindo a cabeça.

— E então, você gosta de mim assim? — perguntei.

— Hummm...

— Isso significa sim, ou não?

— Claro que gosto de você.

— Não, não é isso. Quero saber se você gostou de mim assim, hoje à noite.

Adam se endireitou.

— Gostei que você entrou no espírito do show e não ficou reclamando pra gente ir embora logo. E adorei dançar com você. E também gostei muito de ver o quanto você pareceu à vontade em meio à ralé.

— Mas você gostou de mim assim? Gostou mais?

— Mais do quê? — perguntou. Adam pareceu extremamente surpreso.

— Mais do que o normal.

Agora, comecei a ficar irritada. Estava me sentindo tão solta naquela noite, como se aquela fantasia tivesse me trazido uma nova personalidade, uma personalidade mais digna de Adam, de minha família. Tentei explicar isso a ele, mas, para a minha decepção, notei que estava quase chorando.

Adam perceber que eu estava magoada. Ele parou o carro no acostamento e se virou para mim.

— Mia, Mia, Mia — disse ele, acariciando os fios rebeldes que escaparam da peruca. — É de você que eu gosto. Você está, sem dúvida, mais sexy e, sabe, essa peruca loira é diferente e tal. Mas a Mia que está aqui, nesta noite, é a mesma por quem me apaixonei ontem e a mesma que vou amar amanhã. Amo esse seu jeito frágil e ao mesmo tempo durão, resguardado e ao mesmo tempo despojado. Cara, você é a garota mais punk que já conheci, não importa quais bandas você ouve nem o que você veste.

Depois disso, toda vez que eu começava a duvidar dos sentimentos de Adam, pensava na peruca, que já estava começando a pegar poeira dentro do meu guarda-roupa, e ela me trazia a lembrança daquela noite. E então eu não me sentia mais insegura. Sentia-me apenas uma garota de muita sorte.

19h13

Ele está aqui.

Andei perambulando pelo quarto vazio do hospital na ala da maternidade, com vontade de me distanciar dos meus familiares e mais ainda da UTI e daquela enfermeira, ou, para ser mais precisa, do que aquela enfermeira disse e do que eu entendi. Precisava estar em algum outro lugar onde as pessoas não estariam tristes, onde a preocupação fosse a vida, não a morte. Então vim para cá, para a terra da choradeira de bebês. Na verdade, o choro dos bebês é reconfortante, pois mostra que já carregam consigo um espírito de luta.

Mas está tudo silencioso por aqui neste momento. Estou sentada próximo ao peitoril da janela, observando a noite lá fora. Um carro canta pneu no estacionamento, arrancando-me do meu devaneio. Olho para baixo no exato instante em que a luz das lanternas de um carro rosa desaparece em meio à escuridão. Sarah, a namorada de Liz, que é a baterista da Shooting Star, tem um Dodge Dart cor-de-rosa. Prendo a minha respiração, na esperança de que Adam apareça. E lá está ele, subindo a rampa, abraçando a jaqueta de couro contra o corpo, protegendo-se do frio daquela noite de inverno. Posso ver a corrente presa à carteira, brilhando sob a luz dos refletores. Ele para e se vira para alguém que vem atrás dele. Vejo a imagem delicada de uma mulher, surgindo em meio às sombras. A princípio, penso que deve ser Liz. Mas então avisto a trança.

Queria poder abraçá-la. Agradecê-la por estar sempre um passo à frente do que eu preciso.

Claro que Kim procuraria Adam para contar-lhe pessoalmente a notícia, em vez de fazê-lo pelo telefone. E é claro que ela o traria até aqui. Era Kim quem sabia que Adam estava tocando num show na cidade. Era ela quem teria de dar um jeito de convencer a sua mãe a trazê-la de carro para o centro. Kim, que a julgar pela ausência da sra. Schein, deve ter convencido a mãe a voltar para casa e a deixá-la ficar com Adam e comigo. Lembro de quando Kim teve de esperar dois meses pela permissão para voar de helicóptero com seu próprio tio, então fico impressionada ao ver que ela conseguiu tamanha liberdade em poucas horas. Kim que deve ter enfrentado seguranças assustadores e fãs malucos para poder encontrar Adam. E Kim que também deve ter tido a coragem de dar a notícia a Adam.

Sei que isso pode parecer ridículo, mas fico feliz que não tenha sido eu. Acho que não poderia suportar isso. Mas foi Kim quem teve de fazê-lo.

E agora, graças a ela, Adam finalmente está aqui.

Durante o dia todo fiquei imaginando a chegada de Adam e, nos meus devaneios, eu corria para encontrá-lo mesmo que ele não possa me ver e mesmo que, pelo que posso dizer até agora, isso não se parece nem um pouco com aquele filme *Ghost*, em que se pode atravessar o corpo de quem você ama, fazendo a pessoa *sentir* a sua presença.

Mas agora que Adam está aqui, sinto-me paralisada. Estou com medo de encontrá-lo. De olhar para ele. Vi Adam chorar duas vezes. Uma delas quando assistimos ao filme *A felicidade não se compra,* e a outra quando estávamos numa estação de trem em Seattle e vimos uma mãe berrando e batendo no filho, portador da Síndrome de Down. Adam ficou em silêncio e só quando estávamos nos afastando é que pude ver as lágrimas escorrendo dos seus olhos. E aquilo partiu meu coração. Muito. Se Adam estiver chorando agora, isso vai me levar à *morte*. Pode esquecer aquele papo de que *a escolha é minha*. Vê-lo chorar seria o suficiente para me matar.

Sou uma imprestável mesmo.

Olho para o relógio pendurado na parede. Já passa das sete horas. No final das contas, parece que a Shooting Star não vai abrir o show da Bikini, o que é uma vergonha. Seria uma oportunidade e tanto para eles. Por um instante, me pergunto se o resto do pessoal da banda faria a abertura sem a presença de Adam. Mas duvido muito, não porque ele seja o vocalista e o guitarrista do grupo, mas porque a banda tem esse tipo de código. A lealdade aos sentimentos é considerada algo importante. No verão passado, quando a Liz e a Sarah terminaram (o que acabou sendo por apenas um mês) e Liz estava distraída demais para tocar, a banda cancelou todos os cinco shows previstos na agenda, mesmo que um cara chamado Gordon, baterista de outra banda, tenha se oferecido para tocar no lugar dela.

Observo Adam a caminho da entrada principal do hospital, e Kim vindo logo atrás dele. Bem antes de atravessar o toldo coberto e as portas automáticas, ele olha para cima, bem na direção do céu. Adam está esperando por Kim, mas gosto de pensar que ele está procurando por mim também. Seu rosto iluminado pelas luzes é inexpressivo, como se alguém tivesse lhe sugado a personalidade, deixando-o apenas com uma máscara. Não se parece com o Adam. Mas pelo menos, ele não está chorando.

E isso me dá coragem para ir até lá agora. Ou até onde estou, na UTI, que é o lugar para onde sei que ele quer ir. Adam conhece meus avós e meus primos e imagino que ele vá se unir à vigília noturna, mais tarde. Mas agora, neste momento, ele está aqui comigo.

De volta à UTI o tempo parece inerte como sempre. Um dos cirurgiões que cuidou de mim mais cedo — aquele que transpira muito e que quando chegou a sua vez de escolher a música pediu Weezer — está me examinando.

A iluminação é fraca e artificial e é mantida no mesmo nível de sempre, mas ainda assim, o ritmo circadiano vence e o silêncio noturno toma conta do lugar. O ambiente é menos agitado agora do que em comparação ao dia, como se as enfermeiras e as máquinas estivessem cansadas e se mantivessem num modo de economia de energia.

Assim, quando a voz de Adam ecoa no corredor da UTI, todo mundo acordou.

— Como não posso entrar? — indaga ele.

Atravesso a UTI e paro bem do outro lado das portas automáticas. Ouço alguém do lado de fora explicando a Adam que a entrada é proibida nesta área do hospital.

— Isso é um absurdo! — esbraveja Adam.

Dentro da área da UTI, todos os enfermeiros olham para a porta, com os olhos cansados, porém atentos. Sei muito bem no que estão pensando: *Será que já não* temos trabalho demais aqui dentro para ter de acalmar as pessoas malucas lá do lado de fora? Quero explicar-lhes que o Adam não é nenhum maluco. Que ele nunca grita, exceto em ocasiões muito, muito especiais.

A enfermeira rabugenta de meia-idade (a que não atende os pacientes, mas fica sentada ao lado dos computadores, monitores e telefones) balança a cabeça ligeiramente e se levanta como se estivesse aceitando uma designação que lhe fora atribuída. Ela ajeita sua calça branca e caminha até a porta. Ela não é a melhor pessoa para falar com Adam. Não mesmo. Gostaria de alertar-lhes de que seria melhor enviar a enfermeira Ramirez, aquela que confortou os meus avós (e que me deixou em parafuso). Ela conseguiria acalmá-lo. Mas essa outra só vai tornar as coisas piores. Eu a sigo pelas portas automáticas onde o Adam e a Kim estão discutindo com um atendente do plantão. O atendente olha para a enfermeira.

— Eu disse a eles que não têm autorização para entrar — explica. A enfermeira o dispensa com um gesto de mão.

— Posso ajudá-lo, meu jovem? — pergunta ela a Adam.

A voz da enfermeira soa tão irritante e impaciente quanto a de alguns colegas do meu pai, que trabalham na escola e que, segundo meu pai, estão contando os dias para se aposentarem.

Adam pigarreia, na tentativa de se recompor.

— Gostaria de visitar uma paciente — ele diz, apontando para as portas que bloqueiam a passagem para a UTI.

— Lamento dizer que isso não é possível — afirma a enfermeira.

— Mas a minha namorada... Mia, ela está...

— Ela está sendo muito bem cuidada — interrompe a mulher. Ela parece cansada, cansada demais para ter empatia, cansada demais para se comover com o amor de um jovem.

— Sei disso e agradeço muito — diz Adam. Ele está se esforçando ao máximo para fazer o jogo dela, para parecer maduro, mas sinto uma pontada de impaciência em sua voz quando ele diz: — Eu realmente preciso muito vê-la.

— Sinto muito, meu jovem, mas as visitas estão restritas à família.

Ouço Adam ofegar. *Família*. A enfermeira não quis ser cruel. Ela apenas não tem ideia do que está falando, mas Adam não tem consciência disso. Sinto a necessidade de protegê-lo e de proteger a enfermeira do que pode vir a acontecer com ela. Estico o braço na direção dele, por instinto, embora eu não consiga tocá-lo de fato. Mas Adam está de costas para mim, agora. Seus ombros estão curvados e suas pernas começam a se dar por vencidas.

Kim, que estava circulando sem rumo pelo corredor, aparece de repente ao lado de Adam, envolvendo o corpo dele que parece estar prestes a desabar. Com os braços ao redor da cintura dele, ela se vira para a enfermeira com os olhos flamejantes, enfurecidos.

— A senhora não entende! — berra ela.

— Será que vou precisar chamar a segurança? — pergunta a enfermeira.

Adam balança a mão, rendendo-se à enfermeira, e sussurra para Kim:

— Não faça nada.

E Kim não faz. Sem dizer mais nada, ela coloca o braço dele ao redor do seu ombro e deixa que Adam se apoie em seu corpo. Sei que ele é alto para a estatura de Kim, mas depois de cambalear um pouco, ela se ajusta e consegue confortá-lo.

Kim e eu temos uma teoria de que quase tudo no mundo pode ser dividido em dois grupos.

Há pessoas que gostam de música clássica. Outras, de música pop. Há os que gostam da cidade, e os que preferem o interior. Pessoas que gostam de Coca-Cola e as que preferem Pepsi. Existem os conformistas e os liberais. Virgens e não virgens. E há garotas que têm namorado no Ensino Médio e as que preferem não namorar.

Kim e eu sempre achamos que nós duas pertencíamos à última categoria.

— Não que a gente vá ser aquelas virgens de quarenta anos ou algo do tipo... — garantiu Kim. — Só que vamos ser o tipo de garota que só começa a namorar na faculdade.

Isso sempre fez sentido para mim, e eu até preferia que fosse assim. Minha mãe foi o tipo que namorava no colégio e dizia que queria não ter perdido tanto o tempo dela.

— Muitas vezes uma garota quer encher a cara com um licor Mickey, sair por aí aprontando e dar uns amassos atrás de uma caminhonete. Para os meninos que namorei, isso era ter uma noite romântica.

Papai, por outro lado, não namorou sério até chegar a faculdade. Ele era tímido no colégio, mas aí começou a tocar bateria e o então calouro da faculdade começou a tocar numa banda punk, e *bum!,* as namoradas começaram a aparecer. Ou pelo menos ele teve algumas até conhecer minha mãe e *bum!,* casamento. Eu também pensei que as coisas aconteceriam assim comigo.

Foi uma surpresa tanto para Kim quanto para mim quando me vi laçada pelo Grupo A, o das garotas que namoram. No começo, tentei esconder. Quando cheguei em casa depois do concerto do Yo-Yo Ma, contei a Kim apenas alguns detalhes. Não contei sobre o beijo, mas foi uma omissão racional: não havia motivo de alarde por causa de um simples beijo. E um beijo não é um relacionamento. Eu já tinha beijado outros garotos, e geralmente, no dia seguinte, o beijo se evaporava feito uma gota de orvalho no sol.

Mas eu sabia que com o Adam a coisa *era* diferente. Sabia pelo jeito como aquela onda de calor invadiu o meu corpo inteiro naquela noite, depois que ele me deixou em casa e me beijou de novo. E sabia pela forma como fiquei acordada até altas horas da madrugada, abraçando meu travesseiro. Pelo modo como não consegui comer no dia seguinte, nem tirar o sorriso no meu rosto. Aquele beijo tinha sido uma porta que eu atravessei. E sabia que tinha deixado Kim do outro lado.

Depois de uma semana, e mais alguns beijos roubados, pressentia que tinha chegado a hora de contar a Kim. Fomos a uma cafeteria depois da escola. Era o mês de maio, mas não parava de chover, como se fosse novembro. Senti-me ligeiramente sufocada pelo que eu tinha de fazer.

— Pode deixar que eu faço o pedido. Você vai querer uma daquelas suas bebidas cheias de frescuras? — perguntei. Isso era mais duas das categorias que tínhamos definido: a das pessoas que tomam um café simples e a daquelas que tomavam drinks à base de cafeína, com misturas e firulas, como o café com leite com uma pitada de menta de que Kim tanto gostava.

— Acho que vou experimentar o chá com leite e canela — diz ela, olhando-me de um jeito firme como se quisesse dizer: "Não tenho a menor vergonha das bebidas que escolho".

Pedi as nossas bebidas, um pedaço de torta de amora e dois garfos. Sentei de frente para Kim, e fiquei passando o garfo sobre a borda crocante e espessa da massa.

— Preciso te contar uma coisa — anunciei.

— Uma coisa sobre um namorado? — A voz de Kim soou agradável, mas mesmo que eu estivesse olhando para baixo, posso dizer que ela tinha revirado os olhos quando falou aquilo.

— Como você sabe? — perguntei, erguendo a cabeça e olhando para ela.

Ela revirou os olhos de novo.

— Ah, corta essa! Todo mundo já sabe. É a fofoca mais quente desde que Melanie Farrow abandonou o colégio pra ter um bebê. É como ver um candidato à presidência de um Partido Democrata se casando com uma candidata do Partido Republicano.

— Quem aqui falou em casamento?

— Foi só uma metáfora — respondeu Kim. — Enfim, eu já sabia. Sabia antes mesmo que você soubesse.

— Ah, mentira!

— Ora, fala sério! Um cara como Adam indo a um concerto do Yo-Yo Ma. É claro que ele queria conquistar você.

— Não é bem assim — falei, embora soubesse, claro, que tudo tinha sido exatamente assim.

— Só não sei por que você não me contou antes — acrescentou ela com a voz calma.

Eu estava prestes a começar aquele meu discurso ensaiado do "um beijo não significa um relacionamento" e explicar que eu não queria me precipitar e alardear nada, mas me contive.

— Tive medo de que você fosse ficar brava comigo — admiti.

— Não fiquei — afirmou ela. — Mas vou ficar se você alguma vez mentir pra mim de novo.

— Ok.

— Ou se você virar uma daquelas namoradas que fica o tempo todo grudada no namorado, falando sempre na primeira pessoa do plural: "*Nós* amamos o inverno. *Nós* achamos o Velvet Underground uma banda influente..."

— Você sabe que eu jamais conversaria sobre rock com você. Nem na primeira pessoa do plural, nem na do singular. Prometo.

— Muito bem — lançou Kim. — Porque se você se transformar numa dessas garotas, eu te mato.

— Se eu me transformar numa dessas garotas, pode deixar que eu mesma entrego uma arma pra você me matar.

Kim soltou uma gargalhada diante daquela ideia o que quebrou o gelo entre nós. Em seguida, ela enfiou uma fatia da torta na boca.

— E seus pais, o que acharam?

— Papai passou por todas aquelas fases do luto: negação, raiva, aceitação e sei lá mais o quê, tudo em apenas um dia. Acho que ele está meio assustado em ver que está ficando velho porque a filha já arranjou um namorado. — Fiz uma pausa e tomei um gole do meu café, deixando a palavra *namorado* solta no ar. — E ele diz que não consegue acreditar que eu esteja namorando um músico.

— Mas você é uma musicista também — aponta Kim.

— Sim, mas digo um músico punk.

— A Shooting Star está mais pra música emo do que pra punk — corrige Kim. — Diferentemente de mim, ela é do tipo que se preocupa com a distinção entre a música pop: punk, indie, alternativo, hardcore e emo.

— Acho que esse negócio do meu pai usar gravata-borboleta é em parte só uma modinha. E acho que ele gostou do Adam, os dois se conheceram quando Adam foi me buscar para irmos ao concerto. Agora papai quer que eu o convide pra jantar com a gente, mas só tem uma semana que estamos juntos. Ainda não me sinto preparada para esse momento.

— Acho que eu nunca vou estar preparada para isso — disse Kim, dando de ombros. — E como foi com a sua mãe?

— Ela se ofereceu pra ir comigo ao ginecologista para eu começar a tomar pílula. Também me disse pra pedir a Adam que faça todos os exames para saber se ele tem alguma doença. Depois, ela mandou que eu comprasse camisinha e até me deu dez dólares para eu começar a comprar.

— E você comprou? — arquejou Kim.

— Não, só tem uma semana que estamos juntos. Nessa categoria, eu e você continuamos no mesmo grupo.

— Por enquanto — acrescentou Kim.

Em mais uma das categorias que Kim e eu definimos estavam as pessoas que se esforçavam para ser legais e as que nem sequer tentavam. Nesse grupo, considero que Adam, Kim e eu estávamos na mesma coluna, porque mesmo que Adam seja legal, ele não precisa se esforçar para isso, é uma característica natural dele. Então, a minha expectativa era que nós três nos tornássemos grandes amigos. Esperava que Adam amasse todas as pessoas que eu amava e do mesmo jeito que eu.

E assim aconteceu com a minha família. Ele praticamente se tornou o terceiro filho dos meus pais. Mas com Kim as coisas foram um pouco diferentes. Adam a tratou da mesma maneira que sempre imaginei que ele trataria uma garota como eu. Até era legal com ela — educado, agradável, porém distante. Não tentou entrar no mundo de Kim e tampouco ganhar a confiança dela. Suspeitei que ele achava que ela não era uma pessoa muito legal, e isso fez com que eu me sentisse mal. Depois de três meses de namoro, tivemos uma briga feia por causa disso.

— A Kim não é minha namorada. Minha namorada é você — defendeu-se ele, depois que o acusei de não ser uma pessoa muito legal com ela.

— E daí? Você tem um monte de amigas. Por que não pode ser amigo dela também?

Adam deu de ombros.

— Não sei. Só acho que não vou muito na dela.

— Você é um esnobe! — exclamei, me sentindo furiosa.

Adam me olhou com as sobrancelhas franzidas, como se eu fosse algum problema de matemática e ele estivesse tentando me resolver.

— Como é que eu posso ser esnobe? Não se pode forçar uma amizade. O que acontece é que eu e ela não temos muita coisa em comum.

— É por *isso* que você é um esnobe! Você só gosta de pessoas como você — gritei. Em seguida, saí correndo, esperando que ele viesse atrás de mim, que me pedisse perdão e, como ele não fez nada disso, minha raiva ficou duas vezes maior. Peguei a minha bicicleta e fui até a casa de Kim para desabafar. Ela escutou todo o meu desabafo com uma expressão propositadamente entediada.

— É simplesmente ridículo esse negócio de que ele só gosta de pessoas iguais a ele — esbravejou ela quando terminei de descarregar as minhas lamúrias. — Ele gosta de você e você não é igual a ele.

— É este o problema — murmurei.

— Bem, então aprenda a lidar com isso. Não me arraste para o seu problema — disse ela. — Além disso, eu também não vou muito com a dele.

— Não?

— Não, Mia. Não é todo mundo que morre de amores pelo Adam.

— Eu não quis dizer isso. Eu só queria que vocês dois fossem amigos.

— Bem, eu queria morar em Nova York e ter pais normais. Mas é como dizem por aí: "Não se pode ter tudo o que se quer".

— Mas vocês dois são as pessoas mais importantes da minha vida.

Kim olhou para o meu rosto vermelho e choroso e sua expressão se suavizou, esboçando um sorriso gentil.

— Sabemos disso, Mia. Mas Adam e eu pertencemos a partes diferentes da sua vida, assim como a música e eu somos partes diferentes da sua vida. E isso é bom. Você não precisa escolher entre um ou outro, pelo menos não por mim.

— Mas quero que essas partes da minha vida sejam uma coisa só.

Kim balançou a cabeça.

— As coisas não funcionam assim. Olhe, eu aceito o Adam porque você o ama. E presumo que ele me aceite porque você me ama. Se isso faz você se sentir melhor, pense que o seu amor é o que nos une e isso basta. Adam e eu não precisamos gostar um do outro.

— Mas eu queria que vocês se gostassem — choraminguei.

— Mia — disse Kim com uma pontinha de advertência em sua voz, um sinal de que a sua paciência estava se esgotando. — Você está começando a agir como uma daquelas garotas. Será que vai mesmo precisar arranjar aquela arma para mim?

Mais tarde, naquela mesma noite, parei na casa do Adam para me desculpar. Ele aceitou o meu pedido de desculpas com um beijo no meu nariz. E depois disso nada mudou. Kim e ele continuaram sendo cordiais um com outro, porém distantes, por mais que eu me esforçasse para uni-los. O engraçado é que, para dizer a verdade, nunca engoli muito aquela ideia de Kim de que os dois estavam unidos, de certa forma, por minha causa — até que chegou este momento em que vejo Kim tentando amparar Adam, carregando-o pelo corredor do hospital.

20h12

Observo-os desaparecerem no corredor. Queria segui-los, mas estou com os pés grudados no linóleo do piso, incapaz de mover as minhas pernas fantasmas. Só depois que os dois desaparecem virando a parede do corredor é que me levanto e os sigo, mas eles já entraram no elevador.

A esta altura, já descobri que não tenho nenhum poder sobrenatural. Não posso atravessar as paredes nem mergulhar pelas escadarias.

Só posso fazer as coisas que eu faria na vida real, salvo pelo fato de que o que eu faço no meu mundo é invisível para qualquer outra pessoa. Pelo menos é o que parece porque ninguém me olha quando abro as portas nem quando aperto o botão do elevador. Posso tocar as coisas e até mexer nas maçanetas das portas, mas não posso *sentir* nada nem ninguém. É como se eu estivesse vendo tudo de um aquário, o que não faz sentido para mim, mas nada do que aconteceu hoje faz muito sentido.

Suponho que Kim e Adam tenham ido para a sala de espera para se unirem aos meus familiares na vigília, mas quando chego, vejo que nem eles, nem minha família estão lá. Há um amontoado de casacos e suéteres nas cadeiras e reconheço a jaqueta laranja fluorescente da minha prima Heather. Ela mora no interior e gosta de fazer trilha, e alega que as cores neon são necessárias como medida de segurança, para evitar que os caçadores bêbados a confundam com um urso.

Olho de novo para o relógio pendurado na parede. Deve estar perto da hora do jantar. Caminho pelos corredores até chegar à lanchonete, que tem o mesmo cheiro de fritura e de legumes cozidos que qualquer outra lanchonete tem. Deixando de lado o cheiro enjoativo, vejo que a lanchonete está cheia. As mesas estão abarrotadas de médicos, enfermeiras e de residentes que parecem bem aflitos em seus aventais brancos e estetoscópios, estes últimos tão brilhantes que se parecem com brinquedos. Todos comem pizza e purê de batatas congeladas. Demoro um tempo para localizar a minha família que está espremida ao redor de uma mesa. Vovó conversa com Heather. Vovô está completamente absorto em seu sanduíche de peru.

Tia Kate e tia Diane estão num canto, sussurrando uma com a outra.

— Alguns cortes e ferimentos. Mas ele já foi liberado do hospital — diz tia Kate, e por um momento, imagino que ela esteja falando de

Teddy e fico tão entusiasmada que quase choro. Mas então ouço ela dizer que não havia álcool no sangue dele, que o nosso carro saiu da pista e entrou na frente do caminhão desse tal cara chamado sr. Dunlap, que disse que não teve tempo de parar e então percebo que não é sobre Teddy que elas estão falando, mas sim sobre o outro motorista.

— A polícia disse que provavelmente tenha sido a neve ou algum cervo que entrou na pista e fez o carro deles entrar na contramão — prossegue a tia Kate. — E parece que esse tipo de acidente é bastante comum. Com uma das partes nada de muito sério acontece e a outra sofre ferimentos catastróficos — conclui ela.

Não sei se eu diria que "nada de muito sério" aconteceu com o sr. Dunlap, não importa qual seja a gravidade dos seu ferimentos. Penso em como deve ter sido para ele acordar numa terça-feira de manhã, pegar o caminhão para ir trabalhar em algum moinho ou talvez para abastecer o estoque de algum supermercado ou ainda simplesmente para ir a uma lanchonete pedir ovos fritos para o café da manhã. O sr. Dunlap, que provavelmente era uma pessoa feliz ou talvez tivesse uma vida muito difícil, um homem casado, com filhos ou um solteirão. Mas seja lá qual fosse a sua situação ou quem ele fosse naquela manhã, o sr. Dunlap não era mais a mesma pessoa. Sua vida também mudou radicalmente. Se o que a minha tia disse for verdade, e se ele de fato não foi o culpado pela batida, então o sr. Dunlap foi o que Kim chamaria de "um pobre coitado" que estava no lugar errado e na hora errada. E por causa da má sorte do sr. Dunlap e do seu caminhão, que estava na direção leste da Route 27 naquela manhã, duas crianças estão sem os seus pais agora e pelo menos uma delas encontra-se em estado grave.

Como é que se pode conviver com isso? Por um momento, tenho a ilusão de que vou melhorar e sair daqui e que irei até a casa do sr. Dunlap, para aliviar-lhe o peso dos ombros, para assegurar-lhe de que ele não foi o culpado. Talvez nós possamos até nos tornar amigos.

É claro que provavelmente as coisas não funcionariam assim. Seria uma ocasião estranha e triste. Além disso, para começo de conversa, ainda não tenho a menor ideia do que vou decidir, nem como poderei determinar se fico ou não. Até que eu consiga descobrir o que fazer, tenho de deixar as coisas nas mãos do destino, ou dos médicos, ou de quem quer que o faça quando a pessoa que deve decidir está confusa demais até para escolher entre o elevador ou as escadas.

E *preciso* do Adam. Vasculho a lanchonete com o olhar pela última vez, à procura dele e de Kim, mas eles não estão aqui, então volto para as escadas e subo em direção à UTI.

Eu os encontro escondidos na ala de traumatologia, a muitos andares de distância da UTI. Estão tentando agir com naturalidade enquanto testam as diversas portas das divisões que armazenam os suprimentos. Quando finalmente conseguem destrancar uma delas, entram. Tateiam em meio à escuridão à procura de um interruptor de luz. Odeio ter de cortar o barato deles, mas o interruptor fica bem no corredor, onde os dois estavam.

— Não sei não se essas coisas funcionam fora dos filmes — Kim diz para Adam enquanto corre as mãos pela parede.

— Toda ficção é baseada na realidade — afirma ele.

— Você não se parece muito com um médico — opina Kim.

— Pretendo me passar por um atendente de plantão. Ou talvez por um zelador.

— E por que um zelador entraria na UTI? — indaga Kim. Ela é o tipo de pessoa extremamente apegada aos detalhes.

— Alguma lâmpada quebrada, talvez. Não sei. Mas é assim que vamos conseguir.

— Ainda não consigo entender por que você simplesmente não vai e conversa com a família dela — pontua Kim, pragmática como sempre. — Tenho certeza de que os avós dela explicariam para os médicos e eles conseguiriam fazer você entrar lá para vê-la.

Adam balança a cabeça.

— Sabe, quando a enfermeira ameaçou chamar o segurança, o primeiro pensamento que me veio foi o de chamar os pais da Mia pra resolver isso. — Adam faz uma pausa e respira fundo algumas vezes. — Toda hora esse pensamento me vem à cabeça, e sempre vem como se fosse a primeira vez — explica ele com a voz rouca.

— Eu sei — diz Kim bem baixinho.

— De qualquer modo — continuou Adam, retomando a sua procura pelo interruptor de luz —, não posso recorrer aos avós dela. Não posso colocar ainda mais peso sobre as costas deles. Já estão carregando demais. Isso é uma coisa que tenho de resolver sozinho.

Na real, tenho certeza de que meus avós se sentiriam felizes por ajudar o Adam. Eles se encontraram algumas vezes, e gostaram muito dele. No Natal, a vovó sempre se preocupa em preparar um doce feito com calda de chocolate e xarope de ácer porque uma vez Adam mencionou que gostava muito desse doce.

Mas sei que, às vezes, Adam precisa fazer as coisas de um jeito dramático. Ele adora tomar grandes atitudes, como economizar a gorjeta das entregas de pizzas de duas semanas só para me levar para assistir ao concerto de Yo-Yo Ma (em vez de simplesmente me convidar para um encontro casual), e como decorar o peitoril da minha janela com flores todos os dias durante uma semana inteira, quando eu peguei catapora.

Agora, vejo que ele está concentrado na nova tarefa que tem pela frente. Não sei ao certo o que tem em mente, mas seja lá qual for o plano, sinto-me grata, pois foi isso que o tirou do choque emocional em que o vi naquele corredor, do lado de fora da UTI. Já vi o Adam nesse estado outras vezes, quando estava escrevendo alguma música nova ou tentando me convencer a fazer alguma coisa que eu não queria — como acampar com ele — e nada, nada mesmo, nem um meteorito atingindo a Terra, nem mesmo uma namorada na UTI seria capaz de dissuadi-lo.

E além do mais, é justamente o fato de a namorada estar na UTI que se faz necessária a artimanha de Adam. E pelo que sei, esse é o truque mais antigo que existe, inspirado naquele filme *O fugitivo,* ao qual mamãe e eu assistimos recentemente na TNT. Tenho lá as minhas dúvidas se isso vai dar certo. E Kim também.

— Você não acha que aquela enfermeira pode reconhecer você? — pergunta ela. — Você berrou com ela.

— Ela não vai me reconhecer se não me vir. Agora vejo por que você e a Mia são tão parecidas. Vocês parecem duas Cassandras.

Adam nunca conheceu a sra. Schein, então ele não sabe que ao insinuar que Kim seja pessimista, está comprando uma briga. Kim olha para ele com cara feia, mas depois vejo que ela entrega os pontos.

— Talvez esse seu plano maluco pudesse até funcionar se conseguíssemos ver o que estamos fazendo.

Ela remexe a bolsa e tira o celular que a mãe lhe deu e obriga que ela o carregue para onde for, desde os dez anos — rastreador de crianças, como Kim chama o aparelho —, e da tela acende um pequeno quadradinho de luz em meio à escuridão.

— Ah, agora vejo a garota brilhante de quem Mia gosta tanto de se gabar — diz Adam. Ele também liga o seu celular e agora o espaço fica mais iluminado, embora por uma luz bem fraca.

Infelizmente, a luz mostra que os dois estão num cubículo cheio de vassouras, um balde e dois esfregões, mas não há nada parecido com o que Adam estava esperando. Se eu pudesse, os avisaria de que o hospital tem vestiários onde médicos e enfermeiras guardam as roupas que usam quando vêm da rua e onde eles podem se trocar, vestindo aqueles jalecos e uniformes. A única vestimenta genérica e própria de um hospital que está disponível são aquelas camisolas transparentes e constrangedoras que eles mandam os pacientes vestirem. Talvez Adam pudesse vestir uma dessas e cruzar os corredores numa cadeira de rodas, sem que ninguém percebesse, mas um disfarce como esse jamais o ajudaria a entrar na UTI.

— Merda! — exclama ele.

— Vamos continuar tentando — diz Kim, que de repente assume um papel semelhante ao de uma animadora de torcida. — Esse hospital tem mais ou menos uns dez andares. Tenho certeza de que deve haver por aqui outros armários destrancados.

Adam sentou-se no chão.

— Não. Você tem razão. Isso é ridículo. Precisamos bolar uma coisa melhor.

— Você pode fingir uma overdose ou alguma coisa do tipo, aí eles vão te mandar pra UTI — sugere Kim.

— Estamos em Portland. O cara que chegar aqui com overdose e for levado para a sala de emergência é um cara de sorte — afirma Adam. — Não, pensei em algo que distraia as pessoas, sabe? Tipo soar o alarme de incêndio e aí todos os enfermeiros sairiam correndo.

— Acha mesmo que extintores de incêndio e enfermeiros em pânico vão fazer bem pra Mia? — questiona Kim.

— Bem, não precisa ser exatamente isso, mas alguma coisa que desviasse a atenção deles por um segundo para eu conseguir entrar de fininho.

— Logo vão descobrir e te expulsam de lá.

— Não ligo — rebate Adam. — Tudo o que preciso é de um segundo.

— Por quê? Digo, o que você vai conseguir fazer em um segundo?

Adam faz uma pausa. Seus olhos, que normalmente são uma mistura de cinza, castanho e verde, de repente escurecem.

— Mostrar a ela que estou aqui. Que ainda há alguém aqui.

Depois disso, Kim não faz mais nenhuma pergunta. Os dois ficam sentados, em silêncio, cada um perdido em seus próprios pensamentos, o que me faz lembrar de como Adam e eu podemos ficar juntos, em silêncio, lado a lado, ainda que estejamos fazendo coisas diferentes. Agora percebo que Adam e Kim são amigos, amigos de verdade. Não importa o que aconteça agora. Pelo menos isso, eu consegui.

Depois de cinco minutos, Adam bate na própria testa.

— Claro! — exclama ele.

— O quê?

— Hora de ativar o Bat sinal.

— Ãh?

— Venha. Vou te mostrar.

Quando comecei a tocar violoncelo, papai ainda tocava bateria na sua banda, mas o ritmo começou a diminuir alguns anos depois que Teddy nasceu. Porém, desde o começo, pude ver que havia algo de diferente em tocar o meu tipo de música, algo além da surpresa dos meus pais ao constatarem o meu gosto pela música clássica. Minha música era solitária. O que quero dizer é que o papai podia martelar a bateria dele por algumas horas, sozinho, ou escrever as suas canções também sozinho, à mesa da cozinha, produzindo notas estridentes no seu violão gasto, mas ele sempre dizia que as músicas só ficavam prontas mesmo depois que eram tocadas. E era isso que tornava todo o processo tão interessante.

Eu tocava, na maior parte do tempo era sozinha, comigo mesma no meu quarto. Mesmo quando eu ensaiava com os universitários que me deram aula, exceto durante as lições, geralmente eu tocava solos. E quando participava de um concerto ou de um recital, era sozinha, no palco com o meu violoncelo e a plateia. E, diferentemente dos shows do papai em que os fãs entusiasmados se jogavam no placo e depois eram arremessados em meio à multidão, havia sempre uma barreira entre a mim e a plateia. Depois de um tempo, tocar assim se tornou algo solitário. E meio chato também.

Então, durante a primavera do ano em que eu estava cursando a oitava série, decidi parar. Planejei abandonar aos poucos, começando a diminuir o ritmo das minhas práticas obsessivas e deixando de participar de recitais. Imaginei que se parasse de tocar aos poucos, quando eu chegasse ao Ensino Médio, no outono seguinte, poderia começar tudo do zero, sem aquele rótulo de "violoncelista". E a partir de então, talvez eu pudesse escolher um outro instrumento, violão ou baixo, ou quem sabe até a bateria. Além disso, como mamãe estava ocupada demais com Teddy para notar a duração dos meus treinos e papai, abarrotado com seus planos de aula e provas, imaginei que ninguém nem sequer perceberia que eu tinha parado de tocar até que tudo já estivesse resolvido. Pelo menos foram essas as minhas conclusões. Mas a verdade é que eu não conseguia parar de tocar o violoncelo, assim como não conseguia deixar de respirar.

Acho que eu poderia ter parado de verdade, não fosse por Kim. Um dia, à tarde, eu a convidei para ir ao centro da cidade comigo, depois da escola.

— Mas nem estamos no fim de semana. Você não tem que treinar? — perguntou ela enquanto abria o armário.

— Posso pular o treino de hoje — respondi, fingindo que estava procurando o meu livro de Ciências.

— Será que sequestraram a minha amiga de verdade e a que está aqui na minha frente é outra Mia? Primeiro, parou com os recitais. E agora está matando os treinos. O que está acontecendo?

— Não sei — respondi, tamborilando os dedos na tranca do armário. — Estou pensando em tentar tocar outro instrumento. Bateria, quem sabe. A do meu pai está lá no porão, pegando poeira.

— Ah, fala sério! Você tocando bateria. Muito interessante — disse Kim com um risinho.

— É sério.

Kim olhou para mim, boquiaberta, como se eu tivesse acabado de contar que queria comer lesmas fritas na manteiga no jantar.

— Você não pode parar de tocar violoncelo — disse ela depois de um momento de silêncio assombroso.

— Por que não?

Com uma expressão aparentemente triste, ela tentou explicar:

— Não sei dizer, mas é como se o seu violoncelo fosse uma parte de você. Não consigo imaginar você tocando outro instrumento.

— Ah, besteira. Não consigo nem tocar na banda da escola. E quem é que toca violoncelo? Um bando de gente velha. É um instrumento ridículo pra uma garota tocar, estúpido. E além disso, quero ter mais tempo livre, fazer alguma coisa para me divertir mais...

— Que tipo de coisa? — desafiou-me Kim.

— Ah, sabe... Ir ao shopping, por exemplo... Sair com você...

— Ah, sem essa! — retrucou Kim. — Você odeia shopping. E sempre sai comigo. Mas tudo bem, pode matar o treino de hoje. Quero te mostrar uma coisa. — Kim me levou até a casa dela, colocou o CD *Nirvana MTV unplugged* e pôs para tocar para mim a música *Something in the way*.

— Escute — disse ela. — Dois guitarristas, um baterista e uma *violoncelista*. O nome dela é Lori Goldston e aposto que quando era jovem ela treinava duas horas por dia igualzinho a alguém que eu conheço, porque se você quer tocar na filarmônica ou com o Nirvana, é isso que você tem de fazer. E acho que ninguém nunca ousou *chamá-la* de estúpida.

Levei o CD para casa e escutei várias vezes na semana seguinte, refletindo sobre o que Kim havia dito. Peguei o meu violoncelo algumas vezes e toquei, acompanhando. Era um tipo de música diferente, que eu nunca tinha ouvido antes, desafiadora e estranhamente revigorante. Decidi que tocaria *Something in the way* para Kim na semana seguinte, quando ela viesse jantar aqui em casa.

Mas antes que eu tivesse a oportunidade, durante o jantar, Kim, com a maior naturalidade, disse para os meus pais que achava que eu deveria participar da colônia de férias.

— O quê? Está tentando me converter pra sua colônia Torah? — questionei.

— Não, mas para uma colônia de férias musical. — Ela mostrou um folder do Franklin Valley Conservatory, um programa de verão da Colúmbia Britânica. — É um programa para músicos *sérios*. Você precisa mandar uma gravação sua tocando para entrar, sei porque liguei lá. E as inscrições vão até primeiro de maio, então ainda dá tempo — acrescentou Kim.

Em seguida, ela virou e me encarou de frente, como se estivesse me desafiando a ficar com raiva dela por ter se intrometido nos meus planos.

Não fiquei brava, nem com raiva. Meu coração batia acelerado, como se a Kim tivesse acabado de anunciar que a minha família tinha ganhado na loteria e estivesse prestes a revelar o montante. Olhei bem para ela, seu olhar nervoso traía o sorriso estampado em seu rosto, que dizia: "Está com vontade de me matar, não é?", e fiquei surpresa, cheia de gratidão por ser amiga de alguém que tantas vezes parecia me compreender melhor do que eu mesma. Papai perguntou se eu queria ir, e quando retruquei por causa do dinheiro, ele disse que não haveria problema. Se eu queria ir? Claro que queria. Mais do que qualquer outra coisa.

Três meses depois, quando papai me deixou em um canto solitário da Victoria Island, fiquei em dúvida. O lugar se parecia com uma daquelas colônias típicas de verão, com cabanas de madeira em meio à floresta e uma fileira de caiaques espalhados pela praia. Havia mais ou menos umas cinquenta crianças que, a julgar pela maneira como se abraçavam e riam umas para as outras, se conheciam há muitos anos. E quanto a mim, eu não conhecia ninguém. Nas primeiras seis horas, ninguém conversou comigo, exceto a assistente de diretoria do acampamento, que me acomodou numa cabana, me mostrou um beliche e apontou para o restaurante onde, naquela noite, me ofereceram um prato de alguma coisa que parecia ser bolo de carne.

Fiquei fitando meu prato com certa tristeza, depois olhei para a noite sombria e cinzenta. Já estava com saudade dos meus pais, da Kim e especialmente do Teddy. Ele estava naquela fase legal, querendo experimentar coisas novas, perguntando a toda hora: "O que é isso?" e falando coisas engraçadas. Um dia antes de eu partir, ele olhou para mim e disse que estava "comendo de sede" e quase morri de dar risada. Com saudades da minha casa, suspirei e revirei o amontoado de carne que estava no meu prato.

— Não se preocupe, não vai chover todo dia. Amanhã é outro dia.

Ergui os olhos. Lá estava um garoto travesso que não devia ter mais do que dez anos. Tinha cabelo loiro, um corte tipo escovinha e uma constelação de sardas no nariz.

— Eu sei, embora estivesse fazendo sol hoje de manhã lá onde moro. Sou do Noroeste. A minha preocupação é com o bolo de carne.

Ele sorriu.

— Ah, isso não muda. Mas o sanduíche com pasta de amendoim é muito bom — disse ele, gesticulando em direção a uma mesa onde havia meia dúzia de crianças preparando sanduíches. — Peter. Trombone. Ontário — disse ele.

E pelo que pude descobrir depois, esta era a saudação padrão da colônia Franklin.

— Ah, olá! Sou Mia. Violoncelo. Oregon, acho.

Peter me contou que tinha treze anos e que aquele era o segundo verão dele na colônia. Quase todos começaram quando tinham doze anos e é por isso que todo mundo se conhecia. Entre os cinquenta estudantes, metade deles era do jazz, a outra metade da música clássica, então o grupo era pequeno. Havia apenas mais dois violoncelistas, sendo um deles um cara ruivo, alto e magricelo que se chamava Simon e para quem Peter acenou.

— Você vai participar do campeonato de violoncelo? — perguntou-me Simon logo que Peter me apresentou. Mia. Violoncelo. Oregon.

Simon era Simon. Violoncelo. Leicester, que era uma cidade na Inglaterra, o que significava que Simon fazia parte de um grupo internacional.

— Acho que não. Nem sei o que é esse campeonato — respondi.

— Bom, você sabe como nos organizamos em orquestra para a apresentação da sinfonia final? — perguntou Peter.

Balancei a cabeça querendo dizer que sim, embora eu tivesse uma vaga ideia. O papai tinha passado a primavera lendo informações sobre a colônia, mas a única coisa que importava para mim é que eu ficaria com outros musicistas. Não prestei muita atenção aos detalhes.

— É a sinfonia de encerramento do verão. Pessoas de diferentes lugares vêm para nos assistir. É um evento grande. E nós, os músicos mais novos, tocamos meio como se fôssemos "os mascotes do showzinho de abertura" — explicou Simon. — Mas um dos músicos da colônia é escolhido para tocar com a orquestra profissional e apresenta um solo. Ano passado fiquei muito perto de ganhar, mas perdi para um flautista. Esta é a minha segunda e última chance antes de me formar. Já faz um tempo que ninguém que toca instrumento de cordas ganha e a Tracy, que é uma das integrantes do nosso pequeno trio, não vai tentar. Ela toca mais por hobby. Ela é boa, mas não é séria, não toca pra valer. Ouvi dizer que você leva o negócio a sério.

Sério que eu levo a sério esse negócio de tocar? Acho que se eu fosse assim não teria quase desistido.

— Quem foi que te falou isso? — perguntei.

— Os professores escutam todas as gravações que os inscritos enviam e o boato começou a circular. Parece que a sua gravação era muito boa. Não é muito comum eles aceitarem alguém do segundo ano, então eu estava esperando por alguém bom para competir, para melhorar o meu nível.

— Ei, ei! Peraí! Dê uma chance para a garota — disse Peter. — Ela acabou de experimentar o bolo de carne.

Simon torceu o nariz.

— Desculpe, mas, se é sobre escolhas de audição que você quer falar, podemos conversar — disse ele e, em seguida, saiu andando em direção ao quiosque de sorvete.

— Perdoe o Simon. Já faz uns anos que não aparece uma violoncelista de qualidade aqui, então ele está animado com a possibilidade de sangue novo. Mas só pelo desafio. Ele é gay, mas é difícil pra ele admitir, porque é inglês.

— Ah, tá. Mas o que foi que ele disse? Tipo, parece que ele *quer* disputar a competição comigo.

— Claro que ele quer e é essa a graça do negócio. É por isso que estamos aqui em uma colônia de férias no meio de uma floresta tropical — disse ele, gesticulando em direção à paisagem. — Por isso e por causa da comida maravilhosa que eles têm aqui. — Peter olhou para mim. — Não é por isso que você está aqui?

Dei de ombros.

— Sei lá. Nunca toquei com tantas pessoas. Pelo menos não tão sérias.

Peter coçou a orelha.

— Sério? Você disse que é de Oregon. Já participou do Projeto de Violoncelo de Portland?

— Do quê?

— É uma cooperativa vanguardista de violoncelo. Eles fazem um trabalho bem legal.

— Não moro em Portland — murmurei, sentindo-me constrangida por nunca ter *ouvido* falar de nenhum projeto de violoncelo.

— Mas então, com quem é que você toca?

— Com outras pessoas. Na maioria das vezes com universitários.

— Não toca numa orquestra? Nenhum conjunto de música de câmara? Um quarteto de cordas?

Balanço a cabeça, negando e lembrando de uma certa vez em que uma das minhas professoras me convidou para tocar num quarteto. Recusei o convite porque tocar com ela era uma coisa; tocar com um grupo de pessoas totalmente estranhas, era outra. Sempre acreditei que o violoncelo era um instrumento solitário, mas agora começava a me questionar que talvez fosse *eu* a solitária.

— Hum. E como é que você consegue ser boa? — indagou Peter. — Não quero bancar o sem-noção, mas não é assim que a gente *fica* bom? É como jogar tênis. Se você jogar com alguém ruim, vai acabar perdendo, errando tacadas ou perdendo saques, mas se jogar com um bom adversário, começa a dominar o jogo e logo começa e executar tacadas surpreendentes.

— Eu não teria como saber disso — retruquei para Peter, me sentindo como a pessoa mais chata e isolada do mundo. — Eu não jogo tênis.

Os dias seguintes passaram como uma névoa obscura. Não fazia a menor ideia do porquê eles colocam o caiaque do lado de fora. Não sobrava nem um tempo para a diversão. Pelo menos não para diversões daquele tipo. Os dias eram extremamente exaustivos. Acordávamos às seis e meia, tomávamos café às sete, três horas de aula particular pela manhã e pela tarde e ensaio com a orquestra antes do jantar.

Eu nunca tinha tocado com mais de cinco músicos antes, então os primeiros dias na orquestra foram terríveis. O diretor de música da colônia, e que também era o maestro, se esforçou muito para nos organizar e o máximo que conseguiu foi nos fazer tocar os movimentos mais básicos por um curto espaço de tempo. No terceiro dia, ele tentou uma das sinfonias de Brahms. Na primeira vez que tocamos foi horrível. Os instrumentos não se harmonizavam, mas sim colidiam, como se fossem pedras em contato com um cortador de grama.

— Horrível! — gritou o maestro. — Como é que vocês esperam tocar numa orquestra profissional se não conseguem nem manter o tempo numa cantiga? Vamos, tentem de novo!

Depois de mais ou menos uma semana, as coisas começaram a funcionar e eu a sentir o gostinho de fazer parte de uma engrenagem. Aquilo me fez ouvir o violoncelo de um jeito diferente, me fez ver como as notas baixas funcionavam no concerto com as notas mais altas da viola de arco e como o violoncelo fornecia uma base para os instrumentos de sopro que ficavam do outro lado da orquestra. E, embora seja normal pensar que o fato de estar num grupo nos faça sentir mais tranquilos, sem ter aquela preocupação excessiva de como você está tocando já que o seu instrumento está se fundindo com os outros, acontece justamente o contrário.

Sentei atrás de uma violista de dezessete anos que se chamava Elizabeth. Ela era uma das musicistas mais perfeitas da colônia — fora aceita no Royal Conservatory of Music em Toronto — e também era muito bonita, parecia uma modelo: alta, majestosa, pele cor de café e bochechas que pareciam esculpidas no gelo. Eu teria cedido à tentação de odiá-la não fosse pelo fato de ela tocar muito bem. Se o músico não for cuidadoso, a viola pode emitir um som terrivelmente estridente, mesmo quando nas mãos dos instrumentistas mais experientes. Mas nas mãos de Elizabeth o som saía limpo, puro e suave. Ao ouvi-la tocar e observá-la o quanto se perdia na música, eu sentia vontade de tocar exatamente igual. Ou até melhor. Não que eu quisesse simplesmente ser melhor do que ela, mas sim porque sentia que era o meu dever, que devia isso a Elizabeth e ao grupo, a mim mesma. Tinha de tocar no mesmo nível que ela.

— Está muito bonito — disse Simon quando o nosso tempo na colônia já estava no final, ao me ouvir treinando um movimento do Concerto nº 2 para violoncelo de Haydn, uma peça que tinha me dado muito trabalho quando a toquei pela primeira vez na última primavera. — Você vai tocá-la no campeonato do concerto?

Assenti e não consegui esconder um sorriso. Depois do jantar e antes que as luzes se apagassem, Simon e eu levávamos os nossos violoncelos para fora e fazíamos uns concertos improvisados no crepúsculo. Nos revezávamos, desafiando um ao outro para ver quem se saía melhor. Estávamos sempre competindo, sempre tentando observar quem conseguia tocar melhor, mais rápido e de cabeça. Foi muito divertido e talvez tenha sido essa a razão pela qual eu me sentia tão bem em relação a Haydn.

— Ora, vejo que alguém aqui está segura demais. Acha que vai me vencer? — perguntou Simon.

— No futebol, sem a menor dúvida — brinquei.

Simon contou que ele era a ovelha negra da família não pelo fato de ser gay, nem de ser músico, mas porque era um perna de pau.

Ele fingiu que acertei um tiro no seu peito e depois sorriu.

— Percebe como coisas incríveis acontecem depois que você para de se esconder detrás desse monstrinho gigante? — perguntou ele, apontando para o meu violoncelo. Balancei a cabeça, fazendo que sim. Simon sorriu. — Mas, olha, nada de ficar aí se achando. Precisa me ouvir tocando Mozart. Parece um coral de anjos cantando.

Nem ele, nem eu vencemos o solo daquele ano. A vencedora foi Elizabeth e, embora tenha levado mais quatro anos, por fim acabei vencendo o solo de uma das competições.

21h06

— Tenho exatamente vinte minutos antes do nosso agente ter um chilique — ressoou a voz rouca de Vega no saguão agora silencioso do hospital.

Então é este o plano de Adam: Brooke Vega, a deusa do indie rock e vocalista da Bikini, vestida com roupas punk e de marca — esta noite é uma minissaia balonê, meia-calça arrastão, botas de couro pretas e de cano alto e uma camiseta cheia de rasgos da Shooting Star. Além disso, ela usa um bolero felpudo vintage e óculos pretos estilo Jackie Onassis. Vega está parada no saguão do hospital feito um avestruz num galinheiro, e cercada de gente: Liz e Sarah, Mike e Fitzy, o guitarrista rítmico e o baixista da Shooting Star, respectivamente, e um pessoal de Portland, do qual me lembro vagamente. Com seu cabelo magenta, ela é como o sol, em torno do qual os seus planetas admiradores giram, admirando-o. Adam é como a lua, que fica de pé ao lado dela, roçando o próprio queixo. Enquanto isso, Kim parece meio aturdida, como se um bando de marcianos tivesse acabado de entrar no hospital. Ou talvez porque Kim venere Brooke Vega. Na verdade, Adam também a venera. Além de mim, isso era uma das poucas coisas que eles tinham em comum.

— Dentro de quinze minutos você já vai estar fora daqui — promete Adam, entrando na galáxia dela.

Ela se aproxima dele.

— Adam, querido. Com é que você está segurando a barra, hein?

Brooke o envolve num abraço como se os dois fossem velhos amigos, embora eu saiba que hoje é a primeira vez que os dois se encontram pessoalmente; ontem mesmo Adam me contou o quão nervoso estava com isso. Mas agora ela age como se fosse a melhor amiga dele. Acho que é pela encenação. Enquanto ela abraça Adam, vejo cada uma das pessoas no saguão observá-los atentamente, desejando, imagino, que cada um dos seus familiares internados ali estivesse no andar de cima, em estado grave como eu, para que assim pudesse receber o abraço reconfortante de Brooke.

Não consigo deixar de me perguntar se eu estivesse aqui, observando esta cena como a Mia de verdade, será que eu sentiria ciúmes? Por outro lado, se eu fosse a Mia de verdade, Brooke Vega não estaria aqui no saguão deste hospital como parte de alguma artimanha de Adam para conseguir me ver.

— Vamos lá, crianças. Hora de botar pra quebrar. Adam, qual é o plano? — pergunta Brooke.

— *Você* é o plano. Não pensei nada além de você ir lá até a UTI e causar um tumulto.

Brooke lambe seus lábios carnudos.

— Causar tumulto é uma das minhas brincadeiras favoritas. O que acha que podemos fazer? Dar um berro? Fazer um striptease? Quebrar uma guitarra? Pera aí, eu não trouxe a minha guitarra. Merda!

— Você poderia cantar alguma coisa — sugere alguém.

— Que tal aquela música antiga dos Smiths, *Girlfriend in a coma*? — lança outra pessoa.

Adam fica com o rosto pálido diante daquele choque de realidade e Brooke ergue as sobrancelhas num gesto de extrema censura. Todos ficam com a expressão séria.

Kim pigarreia.

— Er, não vai nos ajudar nada se Brooke ficar aqui servindo de distração no saguão. Precisamos subir até a UTI e alguém poderia gritar, anunciando que Brooke está aqui no hospital. Pode ser que funcione. Se não funcionar, então, ela pode cantar. Tudo o que precisamos é distrair algumas enfermeiras e trazê-las para fora, fazendo aquela enfermeira-chefe rabugenta vir atrás delas. Depois que ela sair da UTI e vir a gente no corredor, vai ficar ocupada demais para perceber que o Adam fugiu lá para dentro.

Brooke avalia Kim, que está com uma calça preta e um suéter meio desproporcional. Depois, ela sorri e segura o braço da minha melhor amiga.

— Gostei do plano. Mãos à obra, crianças.

Fico para trás, observando aquela multidão caminhar pelo corredor, em procissão. O som em uníssono das botas pesadas e das vozes altas intensificado pelo senso de urgência, invadiu o silêncio mortal do hospital e trouxe um pouco de vida ao local. Lembro que uma vez assisti a um programa de TV que falava sobre casas de repouso que levavam gatos e cachorros para animarem os pacientes idosos e em estado terminal. Talvez todos os hospitais devessem trazer um grupo de roqueiros punk para alegrar o coração entristecido dos pacientes.

O grupo parou em frente ao elevador, esperando ansiosamente por um elevador vazio que comportasse o grupo inteiro. Decido que quero estar próxima ao meu corpo quando Adam entrar na UTI. Pergunto-me se vou conseguir *senti-lo* quando ele me tocar. Enquanto eles esperam no hall do elevador, subo pelas escadas.

Fiquei fora da UTI por pouco mais de duas horas, e muita coisa mudou. Há um novo paciente em uma das camas que estavam vazias, um homem de meia-idade cujo rosto se parece com uma daquelas pinturas surrealistas: metade está normal, e é até mesmo bonita, mas a outra metade é uma mistura de sangue, gaze e pontos, como se alguém o tivesse explodido. Talvez seja o ferimento de uma bala. Aqui, há muitas pessoas com ferimentos causados pela caça. Um dos pacientes, que de tão envolvido em gazes e esparadrapos eu mal conseguia definir se era um homem ou uma mulher, tinha falecido. No lugar, há uma mulher com o pescoço imobilizado com um daqueles colares cervicais.

Quanto a mim, estou respirando sem a ajuda dos aparelhos agora. Lembro-me de ter escutado a assistente social dizer ao meus avós e à tia Diane que esse seria um sinal muito positivo. Paro por um momento para averiguar se sinto algo diferente, mas não sinto nada, pelo menos não fisicamente. Não sinto nada desde hoje de manhã, quando estava no carro ouvindo a Sonata nº 3 para violoncelo de Beethoven. Agora que respiro sozinha, meus aparelhos emitem menos sons e recebo menos visitas das enfermeiras. A enfermeira Ramirez, aquela com as unhas benfeitas, vem me ver de vez em quando, mas agora ela está ocupada com o cara que chegou com a metade do rosto estourado.

Do lado de fora das portas automáticas da UTI, ouço alguém perguntar com uma voz demasiadamente dramática e falsa:

— O quê?! Aquela não é a Brooke Vega?

Nunca tinha ouvido nenhum dos amigos de Adam falar com aquela vozinha de adolescente melindroso. Acho que aquilo foi uma versão polida para "Caralho! Aquela não é a Brooke Veja?"

— Ãh?! A Brooke Vega da Bikini? Aquela que saiu na capa da *Spin* mês passado? Aqui? No hospital?

Desta vez sei que é a voz da Kim. Ela fala como se fosse uma criança de seis anos recitando sobre os grupos de alimentos numa peça da escola: *Quer dizer que devemos comer cinco porções de frutas e legumes por dia?*

— Sim, é isso aí — responde Brooke com a voz rouca. — Vim pra trazer um pouco de rock and roll para a galera aqui de Portland.

Algumas enfermeiras mais jovens, que provavelmente devem ouvir as rádios que tocam música pop ou assistem à MTV e já ouviram falar da Bikini, erguem os olhos, com o rosto aparentemente entusiasmado e ao mesmo tempo como se tivesse com um ponto de interrogação. Ouço-as sussurrando, ansiosas para saber se realmente se trata de Brooke, ou talvez estejam apenas felizes por quebrarem um pouco a rotina.

— É, pode crer. Então, acho que posso cantar um pouquinho. Vou mandar uma das minhas favoritas. Se chama *Eraser* — anuncia Brooke. — Alguém aí de vocês quer me acompanhar?

— Só preciso de alguma coisa pra batucar — responde Liz. — Alguém tem uma caneta ou alguma coisa assim?

Agora, a enfermeira e os atendentes de plantão na recepção da UTI estão extremamente curiosos e saem em direção à porta. Observo tudo como se estivesse de fora, assistindo a um filme. Fico ao lado da minha cama, com os olhos concentrados nas portas automáticas, esperando elas se abrirem. O suspense me corrói. Penso em Adam, no quanto me acalmo quando ele me toca, no quanto me derreto ao senti-lo acariciar a minha nuca ou quando ele sopra ar quente nas minhas mãos geladas por causa do frio.

— O que é que está acontecendo aqui? — exclama a enfermeira mais velha. De repente, todas as enfermeiras no corredor olham para ela, e não mais para a Brooke. Ninguém vai tentar explicar que uma estrela do pop está lá, do lado de fora. Acabou. Sinto a tensão da frustração. As portas não vão se abrir.

Lá fora, ouço Brooke começar a cantar. Mesmo sem a banda, e do outro lado das portas automáticas, ela canta muito bem.

— Alguém chame os seguranças *agora* — exige a enfermeira.

— Adam, chegou a hora — grita Liz. — É agora ou nunca. Tudo ou nada.

— Vai! — grita Kim, que de repente se transformou numa general do exército. — Vamos te dar cobertura.

As portas se abrem. Despencam mais de meia dúzia de punks, Adam, Liz, Fitzy, algumas pessoas que não conheço e Kim. Lá fora, Brooke continua cantando, como se aquele fosse o show que ela viera fazer em Portland.

Ao atravessarem a porta, tanto Adam quanto Kim parecem determinados, até mesmo felizes. Fico surpresa com a capacidade que eles demonstram ao ter de se adaptar a diferentes situações, e com a força que mantêm escondida, em algum lugar. Sinto vontade de pular para comemorar e torcer por ele do jeito que costumava fazer quando assistia aos jogos de *T-ball* do Teddy e ele passava pela terceira base para fazer o ponto. Mal posso acreditar que eles estão aqui, mas ao ver Kim e Adam em ação, posso dizer que quase me sinto feliz também.

— Onde está ela? — grita Adam. — Onde está a Mia?

— No canto, perto do armário! — grita alguém de volta.

Só depois de um minuto é que percebo que foi a enfermeira Ramirez quem disse isso.

— Segurança! Peguem ele! Agarrem-no! — berra a enfermeira rabugenta.

Ela avista Adam entre todos os outros invasores e seu rosto fica vermelho, cheio de fúria. Os seguranças do hospital e outros dois atendentes entram correndo na UTI.

— Mano, aquela não é a Brooke Vega? — pergunta um deles enquanto agarra Fitzy e o empurra para a saída.

— Acho que sim — responde o outro, agarrando Sarah e levando-a para fora.

Kim me encontra.

— Adam, ela está ali! — ela grita, depois se vira para mim, enquanto o grito morre em sua garganta. — *Ela está aqui* — diz ela de novo, mas desta vez com um gemido.

Adam ouve a voz de Kim e se esquiva das enfermeiras, tentando caminhar em minha direção. E aqui está ele, ao pé da minha cama, esticando a mão para me tocar. Está quase conseguindo. De repente, me lembro do nosso primeiro beijo depois do concerto do Yo-Yo Ma, e de que eu não tinha me dado conta do quanto desejava os seus lábios nos meus, coisa que só aconteceu quando estávamos bem pertinho, quase nos beijando. Não tinha me dado conta do quanto desejava o seu toque, até este exato momento em que quase posso senti-lo me tocar.

Quase. Mas, de repente, ele começa a se afastar de mim. Dois seguranças o seguram pelos ombros e o arrancam dali. Um dos homens agarra também o cotovelo de Kim e a leva para fora. Kim cede, e não oferece nenhuma resistência.

Brooke continua cantando do lado de fora. Quando vê Adam, ela para.

— Sinto muito, querido — diz. — Agora tenho que ir antes que eu perca o show ou que seja presa.

Então ela se vai pelo corredor, seguida por alguns atendentes de plantão que imploram por um autógrafo.

— Chame a polícia — exige a enfermeira rabugenta. — Mandem prendê-lo.

— Vamos levá-lo até o departamento de segurança. É o protocolo — diz um dos seguranças.

— Não somos nós quem prendemos — acrescenta o outro.

— Tirem-no da minha ala. — Ela pigarreia e se vira. — Srta. Ramirez, é melhor que não tenha servido de cúmplice para esses arruaceiros.

— Claro que não. Eu estava no armário de suprimentos e perdi toda a confusão — retruca ela.

A srta. Ramirez mente bem e sua expressão em nenhum momento a entrega.

A enfermeira-chefe bate palmas.

— Ok. O show acabou. De volta ao trabalho.

Saio em disparada para as portas da UTI, correndo atrás de Adam e Kim, que estão sendo levados na direção do elevador. Entro com eles. Kim parece confusa, como se alguém tivesse pressionado o botão *reset* e ela ainda estivesse reiniciando o sistema. Adam aparenta tristeza, está com os lábios arqueados para baixo. Não sei ao certo se ele está prestes a chorar ou a dar um soco no segurança. Para o seu próprio bem, espero que seja a primeira opção. Se for pela minha vontade, torço pela segunda.

Lá embaixo, os seguranças arrastam Adam e Kim por um corredor cheio de salas escuras. Estão prestes a entrar em uma das poucas salas que têm iluminação quando ouço alguém gritar o nome de Adam.

— Adam! Esperem. É você?

— Willow? — grita Adam de volta.

— Willow? — murmura Kim.

— Com licença, para onde vocês estão levando eles? — grita Willow para os homens enquanto corre na direção deles.

— Lamento mas esses dois foram pegos tentando invadir a UTI — explica um dos seguranças.

— Só porque eles não deixaram a gente entrar — rebate Kim com a voz fraca.

Willow se aproxima deles. Ela ainda está com o uniforme de enfermeira, o que é estranho; porque geralmente, assim que pode, ela troca logo de roupa e tira a "alta costura hospitalar", conforme ela costuma chamá-lo. Seu cabelo castanho-avermelhado, longo e encaracolado parece ensebado e escorrido, como se há semanas ela não o lavasse. E suas bochechas, que normalmente são rosadas como uma maçã, estavam como se tivessem sido pintadas de bege.

— Com licença. Sou uma enfermeira registrada na Cedar Creek. Não fiz o meu estágio aqui, então, se vocês quiserem, podemos resolver esse problema com Richard Caruthers.

— Quem é ele? — pergunta um dos seguranças.

— Diretor de assuntos comunitários — responde o outro homem que, em seguida, se vira para Willow. — Ele não está aqui agora, não estamos em horário comercial.

— Sim, mas tenho o telefone da casa dele — acrescenta Willow, empunhando seu celular como uma arma. — Duvido que ele vá gostar de receber uma ligação minha contando como o seu hospital está tratando alguém que está apenas tentando visitar a namorada gravemente ferida. Vocês sabem que o diretor preza pelos valores da compaixão tanto quanto da eficiência e essa não é a maneira correta de se tratar um ente querido de alguém que está internado aqui.

— Estamos apenas fazendo o nosso trabalho, senhora. Seguindo ordens.

— E se eu tirar vocês dois dessa encrenca e assumir o problema? A família da paciente está toda reunida lá em cima, esperando por esses dois. E, se vocês tiverem qualquer problema, falem com o sr. Caruthers e peçam a ele que entre em contato comigo.

Willow enfia a mão na bolsa, tira um cartão seu e o entrega aos seguranças. Um dos homens pega o cartão e o entrega para o parceiro, que apenas olha e dá de ombros.

— Pelo menos vai livrar a gente daquela papelada — diz ele.

O homem solta o Adam, cujo corpo despenca como se fosse um espantalho arrancado de um poste.

— Desculpe aí, garoto — ele diz, batendo no ombro dele.

— Espero que a sua namorada fique bem — murmura o outro.

E então os dois desaparecem na direção da máquina automática que vende doces.

Kim, que tinha cruzado com a Willow apenas duas vezes, jogou-se nos braços dela.

— Obrigada! — murmurou no pescoço de Willow.

A enfermeira retribuiu ao abraço e deu um tapinha no ombro de Kim antes de soltá-la. Depois, esfrega os olhos e esboça um sorriso discreto.

— O que diabos vocês dois estavam pensando? — pergunta ela.

— Eu só queria ver a Mia — responde Adam.

Willow vira-se para olhar para o Adam e é como se alguém tivesse acabado de abrir uma válvula, deixando escapar todo o ar que havia dentro dela. A enfermeira desmorona e estica o braço para tocar o rosto de Adam.

— Não tenho dúvidas. — Ela enxuga os olhos com o dorso da mão.

— Você está bem? — pergunta Kim.

Willow ignora a pergunta.

— Vamos ver o que podemos fazer pra você conseguir visitar a Mia.

Adam se anima ao ouvir isso.

— Acha que vamos conseguir? Aquela enfermeira velha não foi com a minha cara.

— Se essa enfermeira é quem estou pensando, não faz a menor diferença ela ter ido com a sua cara ou não. Nada depende dela. Vamos falar com os avós de Mia, depois vou descobrir quem é o responsável aqui por quebrar as regras e permitir que você veja a sua namorada. Ela precisa de você agora. Mais do que nunca.

Adam vira e abraça Willow com tanta força que os pés dela saem do chão.

Willow no comando do resgate. Do mesmo jeito que ela resgatou Henry, o melhor amigo de papai e que tocava com ele na banda, e que, no passado, fora um playboy bêbado. Quando Willow e ele namoraram por algumas semanas, ela o advertiu para que se endireitasse e parasse de beber ou então, eles teriam de dizer adeus. Papai contou que muitas garotas tinham dado um ultimato para Henry, tentando dar um jeito na vida dele, mas todas elas acabaram deixadas na calçada, aos prantos. Mas quando Willow pegou sua escova de dentes e avisou que Henry tinha de crescer, foi ele quem chorou. Em seguida, Henry enxugou as lágrimas, cresceu, parou de beber e se tornou monogâmico. Oito anos depois, aqui estão eles, com um bebê. Willow tem um jeito especial. Talvez seja por isso que ela tenha se tornado a melhor amiga da mamãe depois que se uniu a Henry. Willow é outra mulher dura na queda, graciosa como uma gatinha e uma feminista ferrenha. Ela se tornou uma das pessoas de quem papai mais gosta; mesmo odiando os Ramones e achando o beisebol chato, enquanto papai vivia pelos Ramones e considerava o beisebol como uma religião.

Agora, Willow está aqui. Willow é enfermeira. Willow que não aceitaria um não como resposta está aqui. Ela vai conseguir fazer com que Adam entre na UTI para me ver. Ela vai cuidar de tudo. *Uhuuu*! Quero gritar. *Willow está aqui*!

Estou tão ocupada comemorando a chegada de Willow que demoro para perceber o motivo de sua presença, mas, quando percebo, sinto como um golpe.

Willow está aqui. E, se está aqui, no *meu* hospital, isso significa que não há nenhum motivo para ela estar no hospital *dela*. Eu a conheço o bastante para saber que ela jamais o deixaria lá, sozinho. Mesmo que eu esteja aqui, ela teria ficado com ele. Ele estava todo quebrado e foi levado para que ela o concertasse. Ele era o paciente dela. Sua prioridade.

Penso no fato de que vovô e vovó estão aqui, em Portland, comigo. E que todos na sala de espera só falam sobre mim, e que estão evitando falar sobre mamãe, papai ou sobre o Teddy. Penso na expressão de Willow. Parecia que toda a sua alegria lhe fora sugada. E penso no que ela disse a Adam: que eu preciso dele agora. Mais do que nunca.

E é por isso que eu sei. Teddy. Ele também se foi.

Mamãe entrou em trabalho de parto três dias antes do Natal, e insistiu que fôssemos fazer compras juntas.

— Você não deveria estar deitada, indo para o hospital ou algo do tipo? — questionei.

Mamãe fez uma careta em meio a uma contração.

— Não. As contrações ainda não estão muito fortes, e só vêm a cada vinte minutos. Quando estava grávida de você e entrei em trabalho de parto, limpei a casa inteira, de cima a baixo.

— Nossa, você dá trabalho até no trabalho de parto — brinquei.

— Você é uma espertinha, sabia? — disse mamãe e depois respirou fundo algumas vezes. — É o meu jeito de fazer as coisas. Agora anda. Vamos pegar o ônibus para o shopping. Não vou poder dirigir.

— Não é melhor ligarmos para o papai? — questionei.

Mamãe deu risada.

— Ah, por favor! Já me basta ter de dar à luz *este* bebê. Não preciso ter de lidar com o seu pai agora também. Vamos ligar pra ele só quando o bebê já estiver a ponto de nascer. Prefiro muito mais que você fique comigo.

Então, mamãe e eu ficamos passeando no shopping e parando de quando em quando para ela se sentar, respirar fundo e apertar o meu pulso de um jeito tão forte que deixou marcas vermelhas na pele. Mesmo assim, tivemos uma manhã produtiva e divertida. Compramos presentes para a vovó e o vovô (um suéter com um anjo estampado e um livro sobre Abraham Lincoln, que era lançamento), brinquedos para o bebê e galochas novas para mim. Normalmente, esperávamos pelas liquidações de Natal para comprar essas coisas, mas a mamãe disse que naquele ano ficaríamos muito ocupadas trocando fraldas.

— Agora não é hora de economizar. Ah, merda! Desculpe, Mia. Vamos. Quero comer um pedaço de torta.

Fomos à Marie Callender's. Mamãe pediu uma fatia de torta de abóbora com creme de banana. Eu pedi um pedaço de torta de mirtilo. Quando terminou, mamãe afastou o prato e disse que estava pronta para procurarmos a parteira.

Nunca conversamos se eu deveria ficar com ela ou não quando chegasse a hora. Àquela altura, eu ia para todos os lugares com mamãe e papai, então foi meio que automático. Encontramos papai com os nervos à flor da pele no centro de parto, que não se parecia nem um pouco com um consultório médico. Era o andar térreo de uma casa, onde havia camas e banheiras Jacuzzi, e os aparatos médicos ficavam discretamente armazenados num canto. A parteira hippie levou mamãe para dentro e o papai me perguntou se eu queria ir junto. Naquele momento, já dava para ouvir mamãe disparando palavrões para todos os lados.

— Posso ligar pra sua avó e ela vem buscar você — disse papai, fazendo caretas ao ouvir os berros da mamãe. — Pode ser que isto aqui demore um pouquinho.

Balancei a cabeça, negando. Mamãe precisava de mim. Foi isso que ela disse. Sentei em um dos sofás estampados com flores, peguei uma revista que tinha um bebê careca na capa. Papai desapareceu em um dos quartos.

— Música! Droga! Preciso de música! — gritou mamãe.

— Temos uma trilha muito agradável da Enya. É muito relaxante — disse a parteira.

— Foda-se a Enya! — exclamou mamãe. — Melvins. Earth. Agora!

— Calma, está tudo sob controle — disse papai. Em seguida, ele colocou um CD e o som mais pesado e mais alto de guitarra que eu já tinha ouvido começou a tocar. As músicas punk que papai costumava ouvir se pareciam com cantigas de ninar perto daquilo. Era uma música primitiva e, aparentemente, fazia com que minha mãe se sentisse melhor. Ela começou a emitir uns sons guturais baixos. Só fiquei lá sentada, quieta. De vez em quando ela gritava, me chamando, e eu entrava. Mamãe erguia os olhos para mim, com o rosto todo coberto de suor.

— Não tenha medo — sussurrava ela. — As mulheres podem suportar o pior tipo de dor. Você vai descobrir isso um dia. — Em seguida, ela voltava a gritar *puta que o pariu*!

Assisti a alguns partos pela TV a cabo e percebi que as mulheres ficavam berrando por um tempo; algumas vezes elas gritavam palavrões que tinham de ser cortados, mas tudo não levava mais que meia hora. Depois de três horas, mamãe e Melvins continuavam gritando. O centro de parto inteiro parecia quente e úmido, embora estivesse fazendo apenas quatro graus lá fora.

Henry apareceu. Quando entrou e ouviu o barulho, parou onde estava, ficando imóvel. Eu sabia que toda essa coisa de ter filhos o assustava, já tinha ouvido mamãe e papai conversando sobre isso e sobre a insistência de Henry em não crescer. Ele ficou chocado quando mamãe e papai me tiveram, e agora ele parecia totalmente perplexo ao ver que meus pais escolheram ter um segundo filho. Os dois se sentiram aliviados ao verem que Willow e Henry tinham reatado. — Finalmente, alguém adulto na vida de Henry — dissera mamãe.

Henry olhou para mim, com o rosto pálido e suado.

— Caraca, Mia. Você não deveria estar ouvindo isso, deveria? Será que *eu* deveria estar ouvindo isso?

Dei de ombros. Henry sentou-se perto de mim.

— Peguei um resfriado ou gripe, sei lá, mas o seu pai acabou de me ligar pedindo pra trazer comida. Então, aqui estou — explicou ele, mostrando-me uma sacola cheia de Taco Bell, fedendo à cebola. Mamãe deixou escapar outro grito. — É melhor eu ir embora. Não quero espalhar as bactérias por aqui ou algo assim. — A mamãe berrou ainda mais alto e Henry praticamente pulou do sofá. — Tem certeza de que quer ficar aqui? Pode vir comigo, pra minha casa se quiser. Willow está lá cuidando de mim. — Ele sorriu ao mencionar o nome dela. — Ela também pode tomar contar de você.

E então, Henry levantou-se para ir embora.

— Estou bem. A mamãe precisa de mim. E o papai está uma pilha de nervos.

— Ele já vomitou? — perguntou Henry, voltando a se sentar no sofá. Dei risada, mas depois, pela cara dele, vi que estava falando sério.

— Ele vomitou quando você estava pra nascer. Quase desmaiou. Não que eu o esteja criticando... Mas o cara deu trabalho... Os médicos quiseram colocá-lo para fora, disseram que fariam isso caso você não nascesse dentro de meia hora. A sua mãe ficou tão nervosa que você nasceu cinco minutos depois. — Henry sorriu, recostando-se sobre o sofá. — E foi essa a história. Mas te digo uma coisa: ele chorou feito um bebê desmamado quando você nasceu.

— Essa parte já me contaram.

— Contaram o quê? — perguntou papai, sem fôlego. Ele agarrou a sacola das mãos de Henry. — Taco Bell, Henry?

— É o jantar dos campeões — disse Henry.

— Serve. Estou morrendo de fome. As coisas estão complicadas por aqui. Preciso me manter forte.

Henry piscou para mim. O papai pegou um *burrito* e me ofereceu. Neguei com a cabeça. Ele estava começando a desembrulhar o *burrito* quando a mamãe soltou um gemido e começou a berrar, dizendo que estava pronta para fazer mais força.

A parteira enfiou a cabeça para fora da porta.

— Acho que estamos perto, então é melhor você jantar depois. Volte pra cá — disse ela.

Henry praticamente saiu voando pela porta da frente. Segui papai até o quarto, onde a mamãe estava sentada agora, ofegante como um cachorro velho.

— Você quer assistir? — perguntou a enfermeira para o papai, mas ele apenas sacudiu a cabeça e de repente, ficou com o rosto verde.

— É melhor eu ficar por aqui — respondeu, segurando a mão da mamãe, mas ela soltou a mão dele com força.

Ninguém me perguntou se eu queria assistir. Meio que automaticamente, fui para o lado da parteira. Foi muito nojento, admito. Muito sangue. E certamente eu nunca tinha visto a minha mãe naquela posição. Mas parecia estranhamente normal para mim ficar ali. A parteira pedia à minha mãe que fizesse força, parasse, e que voltasse a fazer força de novo, e assim sucessivamente.

— Vamos lá bebê, vamos — entoava ela. — Está quase lá! — A parteira animava a minha mãe, que àquela altura parecia estar com vontade de esbofetear a mulher.

Quando Teddy escorregou para fora, ficou com o rosto voltado para cima, então a primeira pessoa que ele viu fui eu. Ele não chegou berrando como vemos na TV. Ficou em silêncio, com os olhos esbugalhados, me encarando. E Teddy continuou me olhando, enquanto a parteira fazia sucção pelo nariz dele.

— É um menino — gritou ela.

Ela colocou o Teddy sobre a barriga da minha mãe.

— Você quer cortar o cordão umbilical? — perguntou ela ao meu pai. Papai ergueu as mãos, respondendo que não. Estava emocionado demais ou enjoado demais para poder falar.

— Eu posso fazer isso — falei.

A parteira segurou o cordão, esticando-o e me mostrou onde eu tinha de cortar. Teddy ficou quietinho, com seus olhos cinzentos arregalados, ainda me encarando.

Mamãe sempre dizia que bem lá no fundo, Teddy achava que eu fosse a mãe dele porque fui eu quem ele viu pela primeira vez e porque fui eu quem cortou o cordão umbilical.

— É como acontece com os gansos que nascem — brincou mamãe. — Eles guardam a imagem do veterinário, não da mamãe gansa, porque é o veterinário que eles veem logo quando os ovos se quebram e eles saem.

Ela exagerou. Na verdade, Teddy não achava que eu fosse a mãe dele, mas havia certas coisas que só eu poderia fazer por ele. Quando era bebê e passou por aquela fase complicada do choro noturno, ele só se acalmava depois que eu tocava uma canção de ninar no violoncelo. Quando começou a gostar de *Harry Potter*, só queria que eu lesse um capítulo por dia para ele, todas as noites. E quando ralava o joelho ou batia a cabeça, ele não parava de chorar enquanto eu não desse um beijo mágico no machucado e depois disso, Teddy se recuperava como que por um milagre.

Sei que nem mesmo todos os beijos mágicos do mundo poderiam tê-lo ajudado hoje. Mas eu faria tudo que pudesse para poder dar um um beijo no Teddy.

22h40

Fuji.

Deixo Adam, Kim e Willow no saguão e saio cambaleando pelos corredores do hospital. Só percebo que estou procurando pela ala da pediatria quando chego até lá. Choro enquanto caminho pelos corredores. Passo pelos quartos onde há crianças de quatro anos num sono inquieto, pois no dia seguinte farão a cirurgia para retirada das amígdalas, depois, passo pela UTI neonatal onde há bebês do tamanho do meu punho, com mais aparelhos ligados neles do que há em mim. Em seguida, vejo a ala de oncologia pediátrica onde crianças carecas em seus leitos dormem debaixo de murais cheios de arco-íris e balões presos. Estou procurando por ele, mesmo sabendo que não vou encontrá-lo. Ainda assim, preciso continuar procurando.

Imagino o rosto de Teddy, seus cachinhos loiros. Adoro enfiar o meu rosto naqueles cachinhos, e sempre fiz isso, desde que ele era bebê. Esperava pelo dia em que ele se enchesse disso e me afastasse, dizendo: "Você está me deixando com vergonha", do mesmo jeito que ele fazia quando o papai berrava nos jogos de *T-ball*. Mas até agora, isso não aconteceu. Ainda continuo mergulhando nos cachos dele sem a menor restrição. Até agora. Mas não há mais até agora. Acabou.

Imagino-me fazendo isso pela última vez, e não consigo fazer sem me ver chorando, minhas lágrimas alisando aqueles cachinhos.

Teddy nunca vai passar do *T-ball* para o beisebol. Nunca vai ter um bigode. Nunca vai entrar numa briga, nem caçar um cervo, nem beijar uma garota, nem fazer sexo, nem se apaixonar, nem casar e nem ser pai de uma criança com cachinhos dourados. Sou dez anos mais velha que ele, mas sinto como se já tivesse vivido muito mais que isso. É injusto. Se alguém de nós deveria ficar para trás, se alguém de nós merecesse a oportunidade de viver mais, esse alguém deveria ser ele.

Corro pelo hospital como se estivesse sendo perseguida por um animal selvagem. *Teddy?*, chamo. *Onde você está? Volte para mim!*

Mas ele não vai voltar. Sei que é inútil. Desisto e me arrasto de volta para a UTI. Quero quebrar as portas automáticas. Esmurrar o balcão das enfermeiras. Quero que tudo se acabe. Quero o meu fim. Não quero ficar aqui. Não quero este hospital. Não quero ficar neste estado suspenso em que posso ver as coisas acontecendo e tenho consciência do que estou sentindo, sem, de fato, sentir. Não posso gritar até sentir a minha garganta doer, nem quebrar a janela com meu punho até ver minha mão sangrar, nem puxar meus cabelos até que a dor ultrapasse aquela que sinto no meu coração.

Encaro a mim mesma agora, a Mia "viva" que está deitada na cama do hospital. Sinto uma explosão de fúria. Se pudesse dar um tapa no meu próprio rosto inexpressivo, era isso que eu faria.

Mas, em vez disso, sento-me e fecho os olhos, e começo a desejar que tudo aquilo acabe. Mas não consigo. Não consigo me concentrar porque, de repente, há muito barulho. Meus monitores começam a apitar sem parar e duas enfermeiras correm em minha direção.

— Pressão arterial e pulsação caindo — grita uma delas.

— Ela está com taquicardia — grita a outra. — O que aconteceu?

— Código azul, código azul na traumatologia — declara o residente.

Logo um médico aparece junto às enfermeiras, esfregando os olhos cansados, de sono, e com olheiras profundas. Ele puxa as cobertas e levanta a minha camisola de hospital. Estou nua da barriga para baixo, mas aqui ninguém repara nessas coisas. O médico põe a mão sobre a minha barriga, que está inchada e dura. Ele arregala os olhos e depois os fecha.

— O abdômen está rígido. Precisamos fazer um ultrassom — diz ele com a voz nervosa.

A enfermeira Ramirez sai correndo até os fundos da sala e volta com algo que parece um laptop e um cabo longo ligado nele. Ela passa um gel na minha barriga e o médico, o cabo.

— Droga. Está com fluido demais — diz ele. — A paciente passou por alguma cirurgia hoje à tarde?

— Sim, retirada do baço — responde a enfermeira Ramirez.

— Pode ser algum vaso sanguíneo que não foi cauterizado — acrescenta o médico. — Ou algum pequeno vazamento causado por perfuração no intestino. Foi acidente de carro, correto?

— Sim, a paciente foi transferida hoje pela manhã.

O médico folheia o meu prontuário.

— Foi o doutor Sorensen quem fez a cirurgia. Ele ainda está de plantão. Levem-na para o centro cirúrgico. Vamos ter de abri-la para verificar de onde vem o líquido, antes que o quadro piore. Deus do céu.

Traumatismo craniano, pulmão em colapso. Esta garota está pior do que se um trem tivesse passado por cima dela.

A enfermeira Ramirez lança um olhar de repulsa para o médico, como se ele tivesse acabado de me xingar.

— Srta. Ramirez! — repreende a enfermeira rabugenta sentada à mesa. — Você já tem os seus pacientes para cuidar. Vamos entubar essa garota e transferi-la para o centro cirúrgico. Vai ser melhor para ela assim do que ficar fazendo hora aqui!

As enfermeiras se apressam para retirar os monitores e os cateteres e colocar outro tubo na minha garganta. Dois atendentes chegam rapidamente com uma maca e me transferem da cama para ela. Continuo nua da cintura para baixo enquanto me tiram dali, mas antes que eu chegue à porta dos fundos, a enfermeira Ramirez grita: "Esperem!" e então, gentilmente ela ajeita a minha camisola, cobrindo as minhas pernas. Ela tamborila o dedo três vezes sobre a minha testa, como se fosse um algum tipo de código Morse. E então, sou levada pelo labirinto de corredores até o centro cirúrgico, para mais uma sessão de cortes, mas desta vez, não sigo o meu corpo. Desta vez fico para trás, aqui na UTI.

Estou começando a entender agora. Quer dizer, não entendo exatamente tudo. Não funciona como se de alguma forma eu tivesse controle sobre o meu corpo, e pudesse romper um vaso sanguíneo dentro de mim para fazê-lo começar a sangrar. Não é como se eu quisesse outra cirurgia. Mas Teddy se foi. Mamãe e papai também. Hoje de manhã, saí com a minha família para um passeio de carro. E agora estou aqui, mais sozinha do que nunca. Tenho dezessete anos. As coisas não deveriam ter acontecido dessa forma. Não é isso que deveria ter acontecido com a minha vida.

Num dos cantos da UTI, em meio ao silêncio, começo a pensar de verdade sobre todas as coisas terríveis que venho ignorando até agora.

Como seria se eu decidisse ficar? Como seria acordar e descobrir que sou órfã? Nunca mais sentir o cheiro do cachimbo do meu pai? Nunca mais ficar ao lado da minha mãe, conversando baixinho enquanto lavamos a louça? Nunca mais ler para Teddy um capítulo do *Harry Potter*? Ficar sem eles?

Não estou certa de que este é o mundo ao qual pertenço. Não tenho certeza se quero acordar.

Em toda a minha vida, só fui a um único funeral e era de uma pessoa que eu mal conhecia.

Eu até poderia ter ido ao funeral da minha tia-avó, Glo, depois que ela morreu vítima de uma pancreatite aguda. Mas o testamento deixou tudo muito claro em relação aos seus últimos desejos. Nada daquele ritual tradicional, nem sepultamento no jazigo da família. Ela preferiu a cremação e que suas cinzas fossem jogadas em algum lugar das montanhas Serra Nevada durante uma cerimônia sagrada dos índios americanos. Vovó ficou muito irritada com isso, e com a tia Glo de modo geral, que segundo a vovó estava sempre tentando chamar a atenção para o fato de ela ser diferente, mesmo depois de morta. A vovó acabou não comparecendo à cerimônia onde as cinzas seriam jogadas e, se ela não iria, não havia motivos para que fôssemos também.

Há dois anos, Peter Hellman, meu amigo trombonista da colônia de férias do conservatório, morreu, mas só fiquei sabendo depois que voltei para a colônia e ele não estava lá. Poucos sabiam que ele tinha linfoma. Isso era algo curioso na colônia de férias: você fica extremamente próximo às pessoas durante o verão, mas há algum tipo de regra, que não está escrita em lugar nenhum e que faz com que a gente não mantenha contato durante o resto do ano. Nossa amizade ali era uma amizade de verão. De qualquer modo, fizemos um concerto na colônia de férias em memória de Peter, mas não foi um funeral de verdade.

Kerry Gifford era um músico da nossa cidade, um dos amigos de mamãe e papai. Diferentemente do papai e de Henry, que com o passar dos anos formaram família e diminuíram o ritmo, tornando-se menos músicos e mais apreciadores de música, Kerry continuou solteiro e fiel ao seu primeiro e verdadeiro amor: tocar. Ele tocava em três bandas diferentes e ganhava a vida assim, tocando numa casa de shows local, uma combinação aparentemente perfeita, já que pelo menos uma de suas bandas se apresentava ali uma vez por semana. Sendo assim, Kerry só precisava subir no palco e deixar que alguém assumisse o controle do som, ainda que algumas vezes ele mesmo se enfiasse no meio dos instrumentos para ajustar os monitores por sua própria conta. Conheço Kerry desde muito pequena, ia aos seus shows com meus pais, e voltei a encontrá-lo quando Adam e eu começamos a namorar e eu passei a frequentar shows.

Certa noite, ele estava trabalhando, fazendo o som para uma banda chamada Clod, em Portland, quando simplesmente, de repente, caiu em cima da aparelhagem. Quando a ambulância chegou, Kerry já estava morto. Aneurisma cerebral.

A morte de Kerry causou um grande alvoroço na nossa cidade. Ele era considerado uma espécie de modelo, um exemplo de pessoa, um cara sincero com uma personalidade grandiosa e um punhado de dreadlocks rebeldes de garoto branco. E Kerry era jovem, tinha apenas trinta e dois anos. Todo mundo que conhecíamos estava planejando comparecer ao funeral, que aconteceria na cidade onde ele cresceu, nas montanhas, a algumas horas de viagem de carro. Mamãe e papai iriam, claro, e Adam também. Então, mesmo me sentindo uma penetra por aparecer assim, no funeral dele, decidi ir. Teddy ficou com meus avós.

Seguimos para a cidade natal de Kerry com uma porção de gente, todos apertados no carro com Henry e Willow, que na ocasião estava com uma barriga de grávida tão grande que o cinto de segurança nem fechava. Todos nos alternamos, contando histórias sobre Kerry. Ele era um esquerdista declarado que decidiu protestar contra a guerra do Iraque, e para isso, junto a uns caras, se vestiu de mulher e foi até o departamento do Exército para se alistar. Kerry, que era ateu e mão de vaca, odiava a maneira como o Natal se tornara uma fonte de consumismo e organizava uma celebração anual contra o Natal, num clube, quando promovia um concurso musical para que as bandas tocassem as versões mais distorcidas das músicas natalinas. Depois, ele convidava todos a jogarem os seus presentes baratos no meio do pátio. E, ao contrário do boato local, Kerry não queimava os presentes numa fogueira; papai me contou que ele os doava para o São Vicente de Paulo.

Enquanto falávamos sobre Kerry, no carro, o clima ficou agradável e divertido, como se estivéssemos indo para o circo, não para um funeral. Mas aquilo parecia o certo, parecia algo digno de Kerry, que sempre foi uma pessoa agradável e cheia de energia.

Contudo, a cerimônia do funeral foi exatamente o contrário, totalmente deprimente — e não apenas porque uma pessoa jovem havia morrido de forma trágica e sem um motivo aparente, a não ser pela falta de sorte com uma artéria. A cerimônia ocorreu numa igreja enorme, o que pareceu estranho pelo fato de Kerry ter sido ateu, mas essa parte eu consegui entender. Onde mais poderiam organizar um funeral? O problema foi a cerimônia em si. Estava na cara que o pastor nunca tinha visto Kerry porque, quando conversamos com ele, falamos sobre coisas genéricas como sobre o coração generoso que ele tinha, e que a sua partida, ainda que fosse algo triste, seria a sua "recompensa divina".

E, em vez de receber elogios dos seus companheiros de bandas ou dos vizinhos com quem ele conviveu nos seus últimos quinze anos, algum tio dele de Boise levantou-se e começou a falar sobre como foi ensinar Kerry a andar de bicicleta quando ele tinha apenas seis anos, como se aprender a andar de bicicleta tivesse sido o momento de decisão da vida de Kerry. O homem terminou o discurso nos assegurando que Kerry estava caminhando ao lado de Jesus agora. Percebi que minha mãe estava ficando com as bochechas vermelhas depois de ter ouvido aquilo, e comecei a ficar preocupada, pensando que ela talvez fosse dizer algo. Às vezes, íamos à igreja, então não é que minha mãe tivesse algo contra religião, mas Kerry era totalmente contra, e minha mãe defendia com unhas e dentes as pessoas que ela amava, tanto que tomava para si qualquer ofensa direcionada a essas pessoas. Os amigos de minha mãe muitas vezes a chamavam de Mamãe Urso por causa disso. Parecia que ela estava prestes a soltar fogo pelos ouvidos quando a cerimônia terminou com a igreja inteira entoando a versão de Bette Midler da música *Wind beneath my wings*.

— É bom mesmo que Kerry esteja morto, porque com um funeral desse, ele perderia a cabeça — disse Henry.

Depois da cerimônia, decidimos não participar do almoço formal e fomos para um restaurante.

— *Wind beneath my wings*? — perguntou Adam, segurando a minha mão e soprando-a, que era o que ele fazia para esquentar os meus dedos eternamente frios. — E por que não *Amazing Grace*? Ela ainda é tão tradicional...

— Mas ela não te dá vontade de vomitar — interveio Henry. — Mas bem que poderia ter sido melhor. Podiam ter tocado *Three little birds* do Bob Marley. Seria uma música mais digna de Kerry. Algo pra homenagear o cara que ele foi.

— Aquele funeral não foi para celebrar a vida de Kerry — resmungou a mamãe, arrancando o cachecol. — Foi para repudiá-la. Como se tivessem matado ele de novo.

Meu pai colocou as mãos sobre os punhos cerrados da minha mãe.

— Ah, corta essa. Foi só uma música.

— Não foi só uma música — rebateu minha mãe, puxando a mão de volta. — Foi tudo o que ela representou. Toda aquela farsa... Você, mais do que ninguém, deveria entender isso.

Meu pai deu de ombros e esboçou um sorriso sem graça.

— Talvez sim. Mas não posso sentir raiva da família dele. Acho que o funeral foi a maneira que eles encontraram de resgatar a presença do filho.

— Ah, por favor! — exclamou a mamãe, balançando a cabeça. — Se eles quisessem resgatar o filho, por que é que não respeitaram a vida que ele escolheu ter? Por que eles nunca o visitaram? Nem apoiaram a decisão dele de viver da música?

— Não sabemos o que se passa na cabeça deles — prosseguiu meu pai. — Não vamos julgá-los assim, dessa maneira tão dura. Deve ser muito difícil entender o próprio filho.

— Não posso acreditar que você esteja defendendo eles — retrucou minha mãe.

— Mas não estou. Só acho que você está tirando as suas próprias conclusões por causa de uma música que tocaram lá.

— Acho que você está confundindo ser compreensivo com ser um idiota!

Mal se pôde perceber a expressão de desagrado do meu pai, mas ela foi o suficiente para que Adam apertasse a minha mão e que Henry e Willow trocassem um olhar. Henry intercedeu, para defender o meu pai, imagino:

— É que as coisas são diferentes para você e para os seus pais. Eles são tradicionais, mas sempre te apoiaram, e mesmo nos seus tempos de maior rebeldia, você sempre foi um bom filho e um bom pai. Sempre presente no jantar de domingo — explicou.

Mamãe soltou uma gargalhada, como se a explicação de Henry confirmasse o ponto de vista dela. Todos nos viramos para ela e a nossa expressão de choque deve tê-la desconcertado, quebrado a magia do seu discurso inflamado.

— É óbvio que estou muito emotiva agora — disse ela.

O papai pareceu compreender que aquilo era o máximo do pedido de desculpas que ele poderia receber agora. Ele voltou a segurar a mão dela e dessa vez, minha mãe não a afastou.

Meu pai fez uma pausa, hesitando antes de falar.

— Só acho que os funerais são como a própria morte. Você pode ter os seus desejos e planos, mas, no final das contas, nada está sob o seu controle.

— Nada disso — retrucou Henry. — Não se você compartilhar os seus desejos com as pessoas certas. — Ele se virou para Willow e se aproximou do barrigão dela, para dizer: — Então, escute, família. No meu funeral, não quero que ninguém se vista de preto. E, quanto à música, quero algo bem pop e tradicional, tipo alguma coisa da The Mr. T Experience. — Ele voltou a erguer o olhar para Willow. — Entendeu?

— The Mr. T Experience. Pode deixar que vou providenciar.

— Obrigado. E você, querida? Qual é o seu desejo? — perguntou a Willow.

Sem hesitar, Willow respondeu:

— Quero que toquem *P.S. you rock my world*, da Eels. E quero um daqueles funerais verdes, em que te enterram num jardim, bem debaixo de uma árvore. Então o funeral tem de ser em meio à natureza. Mas nada de flores, ou seja, tratem de me dar todas as peônias que desejarem enquanto eu estiver viva, mas depois que eu estiver morta, melhor pegar o dinheiro das flores para fazer doações a instituições de caridade, como a Doctors Without Borders, por exemplo.

— Você pensou em todos os detalhes — disse Adam. — Isso é coisa de enfermeira?

Willow deu de ombros.

— De acordo com a Kim, isso significa que você é uma pessoa profunda — falei. Ela diz que o mundo é dividido em pessoas que imaginam os seus funerais e em pessoas que não o fazem, e naturalmente, as pessoas espertas e com talento artístico entram na primeira categoria.

— E em qual categoria você está? — perguntou-me Adam.

— Eu gostaria do *Requiem* de Mozart — respondi. Depois virei para mamãe e papai e disse: — Não se preocupem, não estou planejando o suicídio nem nada do tipo.

— Por favor, hein — disse mamãe, com a expressão mais aliviada enquanto mexia o seu café. — Quando eu era menina, ficava fantasiando sobre o meu funeral. Meu pai endividado e todos os meus amigos que em algum momento me magoaram chorariam sobre o meu caixão, que seria vermelho, obviamente, e tocariam músicas de James Taylor.

— Deixe-me adivinhar — disse Willow. — *Fire and rain*?

A mamãe fez que sim com a cabeça e as duas começaram a gargalhar e logo, todos à mesa caíram na risada. E então, de repente, estávamos todos chorando, até eu, que não conhecia Kerry muito bem. Chorando e rindo, rindo e chorando.

— E hoje em dia? — perguntou Adam à mamãe depois que ela se acalmou. — Continua tendo uma queda pelo sr. Taylor?

A mamãe parou e ficou piscando sem parar, que era exatamente o que ela fazia quando estava pensando em alguma coisa. Então ela esticou o braço e acariciou o rosto do papai, uma rara demonstração pública de afeto.

— No meu cenário ideal, meu marido coração mole e eu morremos juntos, uma morte súbita e rápida, quando tivermos noventa e dois anos. Só não sei muito bem como. Talvez, estaremos em algum safári na África (porque seremos ricos, futuramente). Ei! Esse é o nosso sonho, não é? E aí, vamos pegar alguma daquelas doenças exóticas, vamos dormir, nos sentindo muito bem e nunca mais acordaremos. E nada de James Taylor. Mia vai tocar no nosso funeral. Isto é: se conseguirmos tirá-la da Filarmônica de Nova York.

Papai estava errado. Sim, é verdade que talvez não possamos controlar o nosso próprio funeral, mas às vezes você *tem* como escolher a própria morte. E não consigo parar de pensar que parte do desejo de mamãe se *tornou realidade*. Ela partiu com papai. Mas não vou tocar no funeral dela. É provável que o seu funeral seja o meu também. Há algo de reconfortante nisso. Morrer como uma família, sem deixar ninguém para trás. Mesmo assim, não posso deixar de pensar que mamãe *não* se sentiria feliz com isso. Na verdade, a Mamãe Urso ficaria extremamente furiosa pelo desdobramento que as coisas tiveram hoje.

2h48

Estou de volta onde tudo começou. De volta à UTI. Meu corpo está, melhor dizendo. *Fiquei* aqui sentada esse tempo todo, cansada demais para me mexer. Gostaria de poder dormir. Gostaria que houvesse algum tipo de anestesia para *mim*, ou pelo menos algo que fizesse o meu mundo se calar. Quero ser como o meu corpo, calado e sem vida, posto nas mãos de outra pessoa. Não tenho energia para essa decisão. Não quero mais isso. Digo em voz alta: *Não quero isso*. Olho ao redor da UTI e me sinto ridícula. Duvido que os outros pacientes sintam-se felizes por estarem aqui também.

Meu corpo não ficou fora da UTI por muito tempo. Apenas algumas horas, tempo da duração da cirurgia; e mais algum na sala de recuperação. Não sei ao certo o que aconteceu comigo, e pela primeira vez no dia, não me importo nem um pouco. Não deveria me importar. Não deveria ter tentado tanto. Percebo agora que morrer é fácil. Viver é que é difícil.

Volto a respirar com a ajuda de aparelhos e mais uma vez grudam uma espécie de esparadrapo nas minhas pálpebras. Ainda não entendi o porquê da fita adesiva. Será que os médicos ficam com medo de que eu acorde no meio da cirurgia e fique horrorizada com os bisturis e o sangue? Como se nesse momento essas coisas pudessem me assustar. Duas enfermeiras, a que está responsável por cuidar de mim e a enfermeira Ramirez, se aproximam da minha cama e verificam os meus monitores. Elas dizem uma sequência de números que agora é tão familiar para mim quanto o meu próprio nome: pressão arterial, pulsação e nível respiratório. A enfermeira Ramirez parece uma pessoa completamente diferente da que chegou aqui ontem à tarde. A maquiagem está toda borrada e o seu cabelo, achatado. Parece que poderia dormir em pé. Acho que o turno dela está perto de acabar. Vou sentir a sua falta, mas fico feliz em ver que ela poderá se livrar de mim, deste lugar. Gostaria de poder ir, também. Acho que irei. É só uma questão de tempo — uma questão de descobrir como faço para desistir.

Faz menos de quinze minutos que voltei para a minha cama e Willow aparece. Ela atravessa as portas automáticas e vai direto falar com uma das enfermeiras que está no balcão. Não ouço o que ela fala, mas percebo o seu tom: educado, polido, mas sem deixar o menor espaço para discussão. Quando ela sai da UTI, alguns minutos depois, o clima muda. É Willow quem manda agora. A princípio, a enfermeira rabugenta parece enfurecida, como se quisesse dizer: "Quem essa mulher pensa que é para mandar em mim?", mas depois ela parece aceitar com resignação e joga as mãos para cima, se rendendo. Esta noite está sendo turbulenta. O turno está próximo do fim. Para que se preocupar? Logo, eu e todos esses visitantes incômodos e barulhentos seremos problema de outra pessoa.

Cinco minutos depois, Willow está de volta, e traz consigo vovô e vovó. Willow trabalhou o dia inteiro, e agora está aqui para passar a noite. Sei que ela não tem conseguido dormir. Eu costumava ouvir mamãe dando-lhe dicas de como fazer o bebê dormir a noite inteira.

Não sei quem parece pior, se eu ou o vovô. Suas bochechas estão pálidas, sua pele parece cinzenta e fina como papel, e seus olhos estão vermelhos. Vovó, por outro lado, parece a mesma de sempre. Não há sinais de desgaste nela. É como se a exaustão não ousasse em mexer com ela. A vovó se apressa, vindo em direção à minha cama.

— Hoje você fez a gente dar um passeio numa montanha-russa — brincou vovó com a voz calma. — Sua mãe sempre disse que não conseguia acreditar na criança tranquila que você era, e me lembro de ter dito: "Espera só ela chegar na puberdade", mas você me provou o contrário. Mesmo nessa fase, você foi uma garota fácil. Nunca deu trabalho pra gente. Nunca foi o tipo de garota que fazia o meu coração estremecer de medo. Mas o tanto que o meu coração bateu hoje, valeu por uma vida inteira.

— Ah, deixa disso — advertiu vovô, colocando a mão sobre o ombro dela.

— Ah, só estou brincando. Mia vai gostar disso. Ela tem senso de humor, por mais séria que pareça. Esta aqui tem um senso de humor negro.

Vovó puxa uma cadeira, senta-se perto da minha cama e começa a escovar o meu cabelo com seus dedos. Alguém jogou água nele, então, embora não esteja exatamente limpo, também não está mais coberto de sangue. Ela começa a desembaraçar minha franja, que está na altura do meu queixo agora. Sempre corto a franja, depois deixo-a crescer. É o máximo de transformação radical que posso oferecer a mim mesma. Ela vai escorregando a mão para baixo, afastando o cabelo debaixo do travesseiro e colocando-os sobre o meu peito, o que esconde parte dos fios e dos tubos que estão ligados a mim.

— Assim está bem melhor — diz ela. — Sabe, hoje fui caminhar um pouco lá fora e você nunca vai adivinhar o que eu vi. Um cruza-bico. Em Portland, em pleno mês de fevereiro. Isso é incomum. Acho que deve ser Glo. Ela sempre gostou de você. Dizia que lembrava o seu pai, e ela o adorava. Quando ele fez seu primeiro corte moicano, ela praticamente mandou fazer uma festa. Glo amava o jeito rebelde e diferente dele. Mal sabia que o seu pai a detestava. Uma vez, ela veio nos visitar, vestindo um casaco de vison surrado, seu pai devia ter uns cinco ou seis anos. Isso foi antes de ela entrar na fase dos direitos dos animais, dos cristais e outras coisas. O casaco dela estava com um cheiro horrível de naftalina, como aquelas que a gente usava no baú onde guardávamos as coisas velhas. Seu pai começou a chamá-la de "tia cheiro de baú". Ela nunca soube disso. Mas Glo amava o fato de ele ter se rebelado contra a gente, ou pelo menos era isso que ela pensava, e ela achava que você tinha arrumado um outro jeito de se rebelar quando se tornou musicista clássica. Por mais que eu tenha tentado dizer que não era bem assim, Glo nem ligava. Tinha suas próprias concepções das coisas. Acho que todos nós temos.

Vovó continua tagarelando por mais cinco minutos, me atualizando sobre as notícias do mundo lá fora: Heather decidiu que quer ser bibliotecária. Meu primo Matthew comprou uma moto e a tia Patrícia não gostou nem um pouco disso. Já a ouvi fazendo uns comentários sobre isso durante horas, enquanto preparava o jantar ou cuidava das orquídeas. E ao ouvir vovó me contar isso agora, posso a minha tia na sua estufa onde, mesmo no inverno, o ar era sempre quente e úmido e cheirava a mofo e a terra com um leve toque de adubo. A vovó pegava cocô de vaca, "bolinho de vaca" como ela costumava chamá-lo, e o misturava com palha para fazer o próprio fertilizante. Ela acreditava que poderia patentear a receita e vendê-la, já que a utilizava em suas próprias orquídeas, que sempre recebiam prêmios.

Tento meditar ao som da voz da vovó, me deixar levar pela tagarelice feliz dela. Às vezes, quase chego a pegar no sono, sentada na banqueta da cozinha dela enquanto a ouço, e me pergunto se conseguiria fazer isso hoje. Dormir seria muito bem-vindo. Um cobertor preto e quente que apagaria tudo. Dormir, mas sem sonhar. Já ouvi falar sobre o sono dos mortos. Será que a morte é assim? A melhor, mais quente, mais pesada e infinita soneca? Se for assim, acho que não me importaria. Se morrer for assim, não ligaria nem um pouco.

Tenho um espasmo e sinto um pânico que destrói toda e qualquer calma que vovó tenha me oferecido. Ainda não sei muito bem como as coisas funcionam aqui, mas uma vez que eu decida partir, irei. Mas não me sinto pronta. Não ainda. Não sei por que, mas não estou. E sinto um pouco de medo pela possibilidade de pensar acidentalmente em: *Eu não me importaria de tirar uma soneca para sempre*, e que isso possa acontecer e seja irreversível, da mesma forma como os meus avós costumavam me pôr medo dizendo que se eu fizesse uma careta quando o relógio apontasse meio-dia, meu rosto ficaria daquele jeito para sempre.

Fico me perguntando se toda pessoa que está prestes a morrer tem de decidir entre ficar ou partir. Parece algo improvável. Afinal, este hospital está cheio de gente que não para de receber remédios em suas veias ou que são submetidas a operações terríveis só para poderem ficar, mas algumas delas vão morrer de qualquer jeito.

Será que papai e mamãe também tiveram de decidir? Pelo que parece, dificilmente eles tiveram tempo para tomar uma decisão tão instantânea e não consigo imaginá-los escolhendo me deixar para trás. E Teddy? Será que ele quis partir com os meus pais? Será que ele sabia que eu ainda estava aqui? Mesmo que soubesse, eu não poderia culpá-lo por partir sem mim. Ele é apenas uma criança. E que, provavelmente, estava assustada. De repente, imagino-o sozinho e assustado, e, pela primeira vez na minha vida, espero que vovó esteja certa sobre esse lance de anjos. Rezo para que todos eles estejam muito ocupados consolando Teddy para se preocuparem comigo.

Por que outra pessoa não pode tomar esta decisão por mim? Por que não posso ter um procurador para isso? Ou por que não posso fazer como os times de beisebol fazem quando o jogo está para acabar e eles precisam de um batedor para fazer os caras chegarem à primeira base? Será que não posso conseguir um batedor para me substituir e me mandar para casa?

A vovó foi embora. Willow também. A UTI está tranquila. Fecho os olhos e, ao abri-los, vovô está aqui. Chorando. Ele não faz qualquer tipo de barulho, mas as lágrimas escorrem, molhando o rosto inteiro. Nunca vi ninguém chorando assim. É um choro silencioso, mas intenso, como se houvesse uma torneira aberta por detrás de suas pálpebras. As lágrimas caem sobre o meu cobertor e sobre o meu cabelo recém-penteado. *Plink. Plink. Plink.*

Vovô não enxuga as lágrimas tampouco assoa o nariz. Apenas deixa as lágrimas rolarem como bem querem. E quando o poço de tristeza seca, ele dá um passo à frente e beija a minha testa. Parece que está prestes a ir embora, mas então ele se inclina até que o seu rosto esteja próximo ao meu ouvido e sussurra para mim:

— Tudo bem. Se você quiser partir — diz ele. — Todos nós queremos que você fique. *Eu* quero que você fique mais do que já desejei qualquer outra coisa na minha vida. — De tão emocionado, vovô diz isso com a voz embargada. Ele faz uma pausa, pigarreia, respira fundo e continua: — Mas esta é a minha vontade e vejo que talvez possa não ser a sua. Então, eu só queria dizer que entendo se você decidir partir. Tudo bem se tiver de nos deixar. Tudo bem se você decidir parar de lutar.

Pela primeira vez desde que percebi que o Teddy se foi, sinto como se algo dentro de mim se abrisse. Sinto a minha respiração. Sei que vovô não pode ser aquele rebatedor substituto o qual desejei. Ele não vai desligar os meus aparelhos nem me matar com uma overdose de remédios, nem nada desse tipo. Mas é a primeira vez hoje que alguém reconhece o que eu perdi. Sei que a assistente social alertou meus avós para que evitassem me deixar nervosa, mas o reconhecimento do vovô e a permissão que ele acaba de me oferecer soam como se fosse um presente.

Vovô não vai embora. Ele despenca na cadeira. Agora tudo fica em silêncio. Tanto que quase dá para escutar o sonho dos pacientes. Tão calmo que quase dá para me ouvir, dizendo:

— Obrigada, vovô.

Quando mamãe teve Teddy, papai ainda tocava bateria na mesma banda que tinha desde a época da faculdade. Eles lançaram alguns CDs e até faziam uma turnê de shows todo verão. Não eram lá uma banda de muito sucesso, mas tinham os seus seguidores no Noroeste e em várias cidades universitárias que ficavam entre o Oregon e Chicago. E, o que era estranho, eles tinham um punhado de fãs no Japão. Constantemente, a banda recebia cartas de adolescentes japoneses que imploravam para que eles fossem tocar lá, e chegavam até a oferecer suas casas como hospedagem. O papai sempre dizia que se fossem, ele teria de levar eu e minha mãe. A mamãe e eu chegamos até a aprender algumas palavrinhas em japonês, apenas para o caso de ele decidir ir. *Konnichiwa. Arigatou.* Mas eles nunca foram.

Depois que mamãe anunciou que estava grávida de Teddy, o primeiro sinal de mudança aconteceu quando meu pai, por decisão própria, resolveu tirar a carteira de motorista, aos trinta e três anos de idade. Ele tentou deixar que mamãe o ensinasse a dirigir, mas ela não tinha muita paciência, segundo ele. Papai era muito sensível a críticas, de acordo com mamãe. Então vovô colocou papai em sua picape e os dois saíram por ruas vazias numa região mais afastada, do mesmo jeito que vovô tinha feito com o resto dos meus tios — só que quando eles tinham dezesseis anos.

A próxima mudança foi o guarda-roupa do papai, mas isso foi algo que nenhum de nós percebeu de imediato. Não foi como se um belo dia ele tivesse decidido se livrar da calça jeans colada e das camisetas de bandas e trocá-las por ternos. Foi uma mudança sutil. Primeiro, as camisetas de bandas começaram a ficar de lado e foram trocadas por camisas de botão dos anos de 1950 que ele achava em bazares de caridade, até que elas voltaram à moda e ele teve de começar a comprá-las em lojas sofisticadas. Depois, as calças jeans foram parar no lixo, exceto uma que estava impecável, uma peça de lavagem azul-escura, da Levis e a qual papai passava e usava nos fins de semana. Na maior parte dos dias, ele usava jeans com a barra curta. Mas, depois de algumas semanas do nascimento de Teddy, quando o papai doou sua jaqueta de couro — uma peça de motociclista muito preciosa para ele e que tinha um cordão de leopardo —, finalmente percebemos que uma grande transformação estava acontecendo.

— Cara, você não pode estar falando sério — disse Henry quando o papai entregou-lhe a jaqueta. — Você usa essa jaqueta desde criança. Ela até tem o seu cheiro.

Papai deu de ombros, encerrando a conversa. Depois, ele saiu para pegar Teddy que estava se esgoelando no carrinho.

Alguns meses depois, o papai anunciou que sairia da banda. A mamãe implorou para que ele não fizesse isso. Ela disse que ele poderia continuar tocando desde que não se ausentasse em turnês mensais, deixando-a sozinha com duas crianças. O papai disse que ela não precisava se preocupar, e que ele não estava saindo por causa dela.

Os companheiros de banda do meu pai aceitaram a sua decisão numa boa, mas Henry ficou transtornado. Ele tentou fazer o papai mudar de ideia. Prometeu que ele só tocaria quando a banda se apresentasse na cidade, que não precisaria viajar com eles nas turnês, nem passar a noite toda fora.

— A gente pode até começar a tocar de terno nos shows. Vamos parecer o Rat Pack. Podemos até fazer um cover do Frank Sinatra. Fala sério, cara! — insistiu Henry.

Quando o papai se recusou a voltar atrás, ele e Henry tiveram uma briga feia. Henry ficou furioso com o papai por deixar a banda de forma tão radical, principalmente porque a mamãe havia dito que ele poderia continuar se apresentando nos shows. Papai disse a Henry que lamentava, mas que já tinha tomado a sua decisão. Àquela altura, ele já tinha até se matriculado na faculdade. Queria ser professor agora. Acabara a época das brincadeiras.

— Um dia você vai me entender — afirmou o papai.

— Não vou entender merda nenhuma! — esbravejou Henry.

Henry ficou sem falar com o papai por alguns meses depois disso. Willow aparecia em casa de vez em quando, tentando amenizar a situação. Ela explicava para o papai que Henry estava apenas tentando digerir as coisas. — Dê tempo a ele — disse ela, e o papai fingia não estar magoado. Depois, ela e mamãe tomavam café na cozinha e trocavam sorrisos que pareciam dizer: *Os homens são tão infantis...*

Henry finalmente reapareceu, mas não se desculpou com o papai, pelo menos não de imediato. Anos depois, assim que a filha nasceu, Henry ligou uma noite para a nossa casa, aos prantos: — Agora eu entendo — disse ele para o papai.

Curiosamente, o vovô parecia mais chateado com a metamorfose do meu pai do que o próprio Henry. Era de se imaginar que vovô amaria esse novo jeito do meu pai. Por fora, eles pareciam tão tradicionais que era como se tivessem vivido numa outra era. Eles não usam computador, nem assistem à TV a cabo, nunca falam palavrão e têm aquele jeito todo certinho que faz com que você queira tratá-los com gentileza. Mamãe, que falava tanto palavrão quanto um carcereiro, nunca usava essas palavras quando estava perto dos meus avós. Era como se ninguém quisesse desapontá-los.

Vovó se divertiu com a mudança de estilo do meu pai.

— Se eu soubesse que todas essas coisas voltariam à moda, teria guardado as calças velhas do seu avô — disse-me vovó numa tarde de domingo quando paramos lá para almoçar e papai tirou sua capa de chuva, revelando sua calça social e um cardigã à la anos 1950.

— Não voltou à moda. É que hoje a moda é usar punk, então acho que essa é a maneira que o seu filho aqui encontrou pra se rebelar de novo — disse mamãe com um sorriso forçado. — Quem é que tem um pai rebelde? Seu pai é rebelde? — conversou mamãe com o Teddy, naquela vozinha aguda que a gente usa para falar com os bebês. Teddy sorriu, todo contente.

— Bem, ele ficou bem elegante — opinou vovó. — Você não acha? — perguntou, virando-se para o vovô, que deu de ombros.

— Pra mim, ele sempre foi elegante. Todos meus filhos e netos são. — Mas ele pareceu meio chateado ao dizer isso.

Naquela mesma tarde, algum tempo depois, saí com o vovô para ajudá-lo a pegar lenha. Foi preciso cortar mais madeira, então eu fiquei observando-o enquanto ele golpeava os galhos secos de carvalho com o machado.

— Vovô, o senhor não gostou das roupas novas do papai? — perguntei.

Vovô parou o machado no ar, no meio de um golpe. Depois o abaixou devagar, deixando-o próximo ao banco em que eu estava sentada.

— Gosto das roupas do seu pai, Mia — respondeu ele.

— Mas você pareceu muito chateado quando a vovó comentou sobre elas.

Vovô balançou a cabeça.

— Você não perde um lance, não é? Mesmo tendo só dez anos.

— Não é difícil perceber. Quando o senhor está triste, *demonstra*.

— Não estou triste. O seu pai parece feliz e acho que ele vai dar um bom professor. Sorte dos alunos que vão ouvir o seu pai lendo *O grande Gatsby* para eles. Só vou sentir falta da música.

— Música? Mas o senhor nunca foi a nenhum show do papai.

— Meus ouvidos não são muito bons... depois da guerra. O barulho me incomoda.

— O senhor podia usar fone de ouvido. A mamãe faz eu usar também. O protetor de ouvido não dá certo. Vive caindo.

— Talvez eu possa tentar. Mas sempre ouvi as músicas do seu pai e com o volume alto. Admito que não gosto muito da guitarra. Não faz muito o meu gênero. Mas ainda assim, admiro a música. As letras, especialmente. Quando tinha a sua idade, seu pai costumava aparecer com histórias exageradas. Ele sentava numa mesinha que tinha e as escrevia, depois dava pra sua avó datilografá-las, e depois desenhava figuras. Eram histórias engraçadas sobre animais, mas eram reais e inteligentes. Elas sempre me faziam lembrar daquele livro que tem a história da aranha e do porco... Qual é o nome, mesmo?

— *Charlotte's web?*

— Esse mesmo. Sempre achei que o seu pai seria um escritor quando crescesse. E, de certo modo, acho que ele de fato se tornou. As letras das músicas que ele compõe são como poesia. Você já prestou atenção nas letras dele?

Balancei a cabeça, negando e me sentindo subitamente envergonhada. Eu não tinha percebido que o papai compunha. Ele não cantava, então eu deduzia que eram as pessoas que cantavam, que também escreviam as letras. Mas eu já tinha visto ele uma porção de vezes à mesa da cozinha com o seu violão e um bloquinho de papel. Só não tinha associado uma coisa à outra.

Naquela noite, quando chegamos em casa, fui para o meu quarto com o meu discman e os CDs do papai. Verifiquei o encarte dos CDs para ver quais letras o papai havia escrito e, a seguir, copiei meticulosamente todas elas. Só depois que as vi escritas no meu caderno de Ciências é que me dei conta do que vovô quis dizer. As letras do meu pai não eram simplesmente rimas. Tinham algo a mais. Havia uma música em particular chamada "À espera da vingança" que ouvi repetidamente, até decorá-la. Fazia parte do segundo álbum da banda, foi a única música lenta que eles gravaram e parecia até meio country, provavelmente fruto da breve paixonite que Henry teve por cowpunk. Ouvi essa música tantas vezes que comecei a cantar sozinha sem nem mesmo perceber.

Ora, mas o que é isso?
Aonde é que quero chegar?
E o que vou fazer?
Agora há um vazio
Onde antes os seus olhos brilharam
Mas isso já faz muito tempo
Desde ontem à noite

Mas o que foi aquilo?
E que som é esse que estou ouvindo?
É apenas a minha vida
Assoviando no meu ouvido
E quando olho para trás
Tudo parece menor do que a vida
Do jeito que tem sido há tanto tempo
Desde ontem à noite

Agora estou indo embora
A qualquer hora posso partir
Acho que você vai perceber
Acho que você vai se perguntar o que deu errado
Não estou escolhendo
Só estou fugindo da luta
E isso foi decidido há muito tempo
Desde ontem à noite

— O que é que você está cantando, Mia? — perguntou papai, que me pegou empurrando o carrinho de Teddy pela cozinha numa tentativa inútil de fazê-lo dormir um pouco.

— A sua música — respondi com certa timidez, como se, de repente, estivesse me sentindo uma bisbilhoteira por ter ultrapassado o território particular do meu pai. Mas será que havia algo de errado em sair por aí cantando a música de outra pessoa sem a permissão dela?

O papai pareceu encantado.

— Minha Mia cantando "À espera da vingança" para o meu Teddy. O que você acha disso? — Ele se inclinou para bagunçar o meu cabelo e fazer cócegas na bochecha rechonchuda do Teddy. — Bem, não permita que eu a interrompa. Continue. Deixa que eu cuido dessa parte — disse ele, pegando o carrinho.

Fiquei envergonhada de continuar cantando na frente dele agora. Continuei cantando, mas numa espécie de murmúrio, foi então que papai se juntou a mim e continuamos a cantoria num tom suave, até que Teddy caiu no sono. Depois, papai colocou um dedo sobre os lábios e fez um gesto para que eu o acompanhasse até a sala.

— Quer jogar xadrez? — perguntou. Papai sempre tentava me ensinar a jogar, mas eu sempre achei que era trabalho demais para um jogo simples.

— Que tal damas? — sugeri.

— Vamos!

Jogamos em silêncio. Quando era vez de o papai jogar, eu ficava observando-o discretamente, tentando me recordar do cara com cabelo oxigenado e jaqueta de couro.

— Pai?

— O quê?

— Posso te perguntar uma coisa?

— Sempre.

— Você está triste porque saiu da banda?

— Não — respondeu.

— Nem um pouquinho?

Os olhos acinzentados do papai se cruzaram com os meus.

— Por que está me perguntando isso do nada?

— Conversei com o vovô sobre isso.

— Ah, sei.

— Sabe?

O papai balançou a cabeça, fazendo que sim.

— O seu avô acha que, de alguma forma, acabou me pressionando para mudar de vida.

— Ah, é?

— Acho que de uma forma indireta, ele fez isso mesmo. Por ser quem ele é, por me mostrar o significado de ser pai.

— Mas você era um excelente pai mesmo quando ainda tocava na banda. O *melhor* pai do mundo. Eu não gostaria que você largasse a banda por minha causa — confessei, me sentindo subitamente com um nó na garganta. — E não acho que o Teddy gostaria também.

Papai sorriu e deu um tapinha na minha mão.

— Minha Mia. Não estou desistindo de nada. Não é uma questão de escolha entre uma coisa e outra. Dar aula ou tocar. Jeans ou terno. A música sempre será uma parte da minha vida.

— Mas você saiu da banda! Parou de se vestir como punk!

Papai suspirou.

— Não foi difícil pra mim. Só deixei essa parte da minha vida para trás. Era a hora de fazer isso. Nem cheguei a pensar duas vezes em fazer isso, ao contrário do que o seu avô e Henry pensam. Às vezes você faz escolhas na vida e outras, as escolhas vêm até você. Faz sentido para você?

Pensei sobre o violoncelo. E em como, por vezes, eu não entendia como tinha sido atraída para ele, e em como, às vezes, parecia que o instrumento é que tinha me escolhido. Assenti, sorri e voltei a me concentrar no jogo.

— Então vamos lá, quero ver você me vencer! — exclamei.

4h57

Não consigo parar de pensar na música "À espera da vingança". Já faz anos que ouvi essa música, mas depois que vovô saiu de perto da minha cama, fiquei cantando-a para mim mesma, sem parar. Papai escreveu essa música há anos, mas agora sinto como se a tivesse escrito ontem. Como se tivesse escrito do lugar de onde está agora. Como se houvesse uma mensagem oculta para mim nessa letra. Que outra explicação pode haver? *Não estou escolhendo. Só estou fugindo da luta.*

O que isso significa? Seria algum tipo de conselho? Alguma pista do que os meus pais escolheriam para mim se pudessem fazê-lo? Tento pensar nisso pelo ponto de vista deles. Sei que eles gostariam de ficar comigo e que todos nós ficássemos juntos de novo. Mas não faço a menor ideia se isso acontece depois que morremos, e, se for assim, se acontecerá nessa manhã ou daqui setenta anos. O que eles esperariam de mim *agora*? Depois que formulo a pergunta, posso imaginar a cara de raiva da mamãe. Ela ficaria com o rosto pálido só de pensar que eu consideraria qualquer outra possibilidade que *não* fosse ficar. Mas o papai, ele sim entenderia o significado de desistir da luta. Talvez, assim como vovô, ele compreenderia por que acho que não *posso* ficar.

Estou escutando a música, como se estivesse mergulhada na letra e nas instruções que ela traz, uma rota musical que indica para onde eu devo ir e como chegar até lá.

Canto e me concentro, canto e penso tanto na letra que mal percebo que Willow voltou para a UTI, mal percebo que ela está conversando com a enfermeira rabugenta, e mal reconheço o tom de determinação em sua voz.

Se eu estivesse prestando atenção, perceberia que a Willow está tentando conseguir autorização para Adam vir me visitar. Se eu estivesse prestando atenção, talvez tivesse conseguido sair antes que Willow — como sempre — conseguisse o que queria.

Não quero ver o Adam agora. Melhor dizendo, é claro que quero. Preciso. Mas sei que se eu o vir, vou perder o último fio de tranquilidade que vovô deixou comigo ao me dizer que tudo bem se eu quiser partir. Estou tentando reunir forças para fazer o que tem de ser feito. E Adam só vai complicar as coisas. Tento ficar de pé para sair, mas algo aconteceu comigo desde que voltei da cirurgia. Não tenho mais forças para me movimentar. Ainda assim, preciso reunir todas as que me restam para me sentar na cadeira. Não consigo sair correndo; tudo que posso fazer é me esconder. Dobro os joelhos na altura do peito e fecho os olhos.

Ouço a enfermeira Ramirez conversando com Willow.

— Vou levá-lo até onde ela está — diz ela.

E pelo menos desta vez, a enfermeira rabugenta não manda Willow voltar para os seus próprios pacientes.

— Aquilo que você fez ontem foi uma grande besteira! — Ouço-a dizer para Adam.

— Eu sei — responde ele. A voz dele soa como um sussurro rouco, como costuma ficar depois que se grita muito num show. — Estava desesperado.

— Não. Você foi romântico.

— Fui um idiota. Eles disseram que antes disso ela estava melhor, que já estava respirando sem a ajuda dos aparelhos. Que estava mais forte. Mas foi depois que vim até aqui que ela começou a piorar. Disseram que o coração dela parou na mesa de cirurgia...

A voz de Adam quase desaparece.

— Mas fizeram ele funcionar de novo. Mia estava com o intestino perfurado, e isso prejudicou o bom funcionamento dos órgãos. Essas coisas acontecem com frequência, e não tem nada a ver com você. Identificamos o problema e conseguimos solucioná-lo. É isso que importa.

— Mas ela estava melhor — sussurra Adam. Ele parece tão jovem e tão vulnerável, como Teddy ficava quando estava doente. — E aí eu apareci e ela quase morreu.

Agora, Adam engasga num soluço. O som me faz acordar como se um balde de água gelada tivesse sido jogado em cima de mim. Adam acha que foi *ele* quem me deixou assim? Não! Que absurdo! Ele está redondamente enganado.

— E pensar que eu *quase* fiquei em Porto Rico pra me casar com um filho da puta gordo! — desabafa a enfermeira. — Mas não fiquei. E agora tenho uma vida diferente. O *quase* não importa. É preciso encarar a situação real, do jeito que ela se apresenta no momento presente. E a Mia continua aqui. — Ela abre a cortina que envolve a minha cama. — Agora entre — pede a Adam.

Esforço-me para erguer a cabeça e abrir os olhos. Deus do céu, mesmo neste estado, ele continua lindo. Seus olhos estão fundos de cansaço. A barba cresceu um pouco, o bastante para me arranhar caso nos beijássemos. Adam está vestindo o seu típico uniforme da banda, uma camiseta, calça jeans justa, tênis All Star e um cachecol xadrez de vovô nos ombros.

Logo que me vê, ele fica pálido, como se tivesse na frente de uma criatura horrenda da Lagoa Negra. E de fato estou muito feia, com um aparelho ligado em mim que me ajuda a respirar e mais uma dúzia de outros tubos, além do curativo da última cirurgia que está sujo de sangue. Mas depois de algum tempo, Adam solta a respiração e volta a ser o Adam de sempre. Ele olha ao seu redor, como se tivesse deixado alguma coisa cair, até que encontra o que está procurando: a minha mão.

— Meu Deus, Mia! A sua mão está um gelo! — Ele se inclina, pega também a minha mão direita com cuidado para não encostar nos tubos e nos fios, aproxima a boca e começa a soprá-las para aquecê-las. — Você e essas suas mãos malucas. — Adam sempre fica surpreso quando vê que as minhas mãos, mesmo em pleno verão e mesmo depois dos nossos encontros mais quentes, continuam geladas. Digo a ele que é má circulação, mas ele não acredita muito porque os meus pés geralmente estão sempre quentinhos. Adam diz que tenho mãos biônicas e que é por isso que sou uma violoncelista tão boa.

Observo enquanto ele aquece as minhas mãos, do jeito que ele sempre fez. Penso na primeira vez em que ele fez isso, na escola, sentado no gramado, como se aquilo fosse a coisa mais natural do mundo. Lembro-me também da primeira vez que ele fez isso na frente dos meus pais. Estávamos sentados na varanda, na véspera do Natal, tomando cidra. Estava muito frio lá fora. Adam agarrou as minhas mãos de repente e começou a soprá-las. Teddy achou engraçado e deu risada. A mamãe e o papai não disseram nada, só trocaram um olhar; alguma coisa se passou na cabeça dos dois, não sei exatamente o que, então mamãe sorriu para nós com certa melancolia.

Fico me perguntando se conseguiria sentir o toque dele. Se eu me deitar em cima do meu corpo agora, será que voltaria a ser uma só? Poderia senti-lo? Se eu esticasse a minha mão até a dele, será que ele poderia me sentir? Será que Adam conseguiria aquecer as mãos que ele não pode ver?

Adam solta a minha mão e dá um passo à frente para me olhar. Ele está tão pertinho de mim que quase consigo sentir o seu cheiro e sinto uma vontade louca de tocá-lo. É uma vontade primitiva, natural, avassaladora, do mesmo jeito que um bebê sente a necessidade de tocar o seio da mãe. Mas ainda assim, sei que se nos tocarmos, um novo cabo de guerra surgirá — um que será ainda mais doloroso do que aquele que Adam e eu estávamos segurando nos últimos meses.

Adam começa a murmurar alguma coisa. Com a voz bem baixa. Ele não para de repetir: por favor. *Por favor. Por favor. Por favor. Por favor. Por favor. Por favor. Por favor. Por favor. Por favor.* Por fim, ele para e olha bem para o meu rosto:

— Por favor, Mia — implora. — Não me faça escrever uma música.

Jamais pensei que me apaixonaria. Nunca fui o tipo de garota que tinha paixonites por estrelas do rock ou que fantasiava em se casar com o Brad Pitt. Eu sabia que algum dia provavelmente eu teria namorados (na faculdade, de acordo com as predições de Kim) e que me casaria. Não estava totalmente imune aos encantos do sexo oposto, eu era uma daquelas garotas românticas que tinha sonhos cor-de-rosa sobre o amor.

Mesmo quando eu estava me apaixonando — aquela paixão intensa e estonteante que você não consegue esconder porque não tira o sorriso bobo do rosto —, nem me dei conta do que estava acontecendo. Quando estava com Adam, pelo menos depois daquelas primeiras e estranhas semanas, me senti tão bem que não me incomodei em pensar sobre o que estava acontecendo comigo, com a gente. É que tudo parecia tão normal e certo quanto tomar um banho quente com muita espuma. O que não significa que não tivemos lá umas brigas. Brigávamos por várias coisas: porque ele não era muito legal com a Kim, porque eu era antissocial nos shows dele, porque ele dirigia em alta velocidade e por causa da minha mania de puxar a coberta toda para mim. Eu ficava brava porque ele nunca escreveu uma música para mim. Adam alegava que não era muito bom com músicas bobinhas que falam de amor:

— Se quer que eu escreva uma música para você, vai ter que me trair ou alguma coisa desse tipo — dizia ele, já sabendo muito bem que isso não aconteceria.

Contudo, no outono passado, Adam e eu começamos a ter um tipo diferente de briga. Na verdade, nem chegava a ser uma briga. Não gritávamos e praticamente não discutíamos, mas uma certa tensão pairava no ar, entre nós. E parece que tudo começou com a minha audição para tentar entrar na Juilliard.

— E aí, acabou com eles? — perguntou-me Adam quando eu voltei. — Vão admitir você com bolsa integral?

Tive a sensação de que tinha, pelo menos, passado no teste — mesmo antes de contar à professora Christie sobre aquele avaliador que disse: "Faz tempo que não vemos uma interiorana de Oregon por aqui", mesmo antes de ela começar a espalhar porque estava totalmente convencida de que aquela era uma promessa sutil de que eu seria admitida. Algo aconteceu enquanto me apresentei naquela audição; quebrei alguma barreira invisível e pude finalmente tocar as peças da maneira como elas soavam na minha cabeça, e o resultado foi transcendental: os lados mental e físico, técnico e emocional das minhas habilidades tinham finalmente se integrado. Depois, no caminho de volta para casa, quase na fronteira entre a Califórnia e Oregon, tive uma visão repentina na qual me vi carregando o meu violoncelo pela cidade de Nova York. E foi como se eu já *soubesse* disso, e essa certeza se instalou em mim. Não sou o tipo de pessoa que costuma ter premonições ou excesso de confiança, por isso suspeitei que houvesse algo a mais naquela visão do que simplesmente um devaneio.

— Ah, fui mais ou menos — respondi para Adam e quando o fiz, percebi que havia mentido para ele pela primeira vez, e aquela foi uma mentira diferente de todas as omissões que eu já havia cometido antes.

Para começo de conversa, eu não tinha contado ao Adam que eu me inscreveria para a Juilliard, o que de fato foi muito pior do que parecia. Antes de me inscrever, tive de usar todos os meus momentos livres para praticar com a professora Christie e fazer os ajustes finais do concerto de Shostakovich e das duas *Suítes* de Bach. Quando Adam me perguntou por que eu estava tão ocupada, inventei umas desculpas bobas dizendo que estava tentando aprender a tocar umas peças difíceis. Tentei justificar para mim mesma que aquilo era tecnicamente verdade. E a professora Christie conseguiu agendar para mim uma sessão de gravação na universidade, então eu pude enviar um material de alta qualidade para a Juilliard. Eu tinha de chegar ao estúdio às sete horas da manhã aos domingos, e nas noites de sábado eu inventava que não me sentia muito bem e dizia a Adam que era melhor que ele não ficasse para passar a noite comigo. Também dei um jeito de justificar essa outra mentira para mim mesma. Eu *não* estava de fato me sentindo muito bem porque estava muito ansiosa, então não era bem uma mentira. E, além disso, eu achava que não havia motivo nenhum para causar alarde. Eu também não tinha contado a Kim, então não era como se só o Adam estivesse sendo enganado.

Mas depois que contei a ele sobre a audição, tive a sensação de que eu estava caminhando sobre uma areia movediça e que se desse mais um passo, não haveria como me livrar dela e então, me afogaria de vez. Assim, respirei fundo e me obriguei a voltar para a terra firme.

— Pra ser sincera, não é verdade — confessei. — Eu me saí muito bem. Toquei muito melhor do que eu já havia tocado em toda a minha vida. Foi como se eu estivesse possuída.

A primeira reação de Adam foi sorrir, cheio de orgulho.

— Queria ter visto isso. — Mas então, seus olhos se entristeceram e ele franziu o cenho. — Por que você não me contou logo isso? Por que não me ligou depois da audição pra me contar a novidade? — indagou ele.

— Não sei — respondi.

— Bem, vejo que essa é uma grande novidade — prosseguiu Adam, tentando esconder a mágoa. — Devemos comemorar.

— Tudo bem, vamos sim — falei com uma alegria forçada. — Podemos ir para Portland no sábado, passar no Japanese Garden e depois jantar no Beau Thai.

Adam fez uma careta.

— Não posso. Neste fim de semana vou tocar no Olympia, em Seattle. Uma turnê pequena, lembra? Adoraria que você viesse comigo, mas não sei se isso seria realmente uma comemoração para você. Volto logo, no domingo à tarde. Posso te encontrar em Portland no domingo à noite, se você quiser.

— Não vai dar. Vou tocar no quarteto de cordas na casa de um professor. Que tal o próximo fim de semana?

Adam pareceu lamentar.

— Nos próximos fins de semana estaremos no estúdio, mas podemos sair para algum lugar durante a semana. Por aqui mesmo. Que tal aquele restaurante mexicano?

— Claro. O restaurante mexicano.

Dois minutos antes, eu não queria nem mesmo comemorar, mas agora estava me sentindo triste e insultada por ter sido relegada a um jantarzinho no meio da semana e no mesmo lugar de sempre, o mesmo que costumávamos ir.

Quando Adam se formou no Ensino Médio na primavera passada e mudou-se da casa dos pais para o Porão do Rock, não achei que as coisas mudariam muito. Ele continuaria morando perto de mim. Continuaríamos a nos encontrar com frequência. Eu sentiria falta dos nossos bate-papos na sala de música, mas também me sentiria aliviada porque a nossa relação sairia do foco do colégio.

Mas as coisas mudaram quando o Adam foi para o Porão do Rock e começou a faculdade, embora tenham mudado não pelas razões que imaginei. No início do inverno, no momento em que Adam começava a se acostumar com a vida da faculdade, de repente, as coisas começaram a esquentar para a Shooting Star. Eles receberam um convite para assinar contrato com uma gravadora de médio porte localizada em Seattle e agora ficavam ocupados nos estúdios de gravação. Além disso, a banda estava fazendo muito mais shows e a multidão de fãs era cada vez maior, aumentando praticamente todos os fins de semana. As coisas estavam tão agitadas que Adam teve de abandonar metade das disciplinas do seu curso e começou a frequentar a faculdade meio-período e, se as coisas continuassem assim, ele teria de trancar de vez.

— Não vou ter outra escolha — desabafou para mim.

Eu estava realmente muito empolgada por ele. Sabia que a Shooting Star não era só mais uma bandinha universitária da cidade, era uma banda especial. Não ligava para as ausências cada vez mais frequentes dele, especialmente porque Adam deixava muito claro o quanto o incomodava ficar longe de mim. Mas, de algum modo, a possibilidade de eu ir para a Juilliard fez as coisas mudarem — fez com que eu começasse a me importar. O que não fazia o menor sentido porque isso serviria pelo menos para nos deixar numa situação de igual para igual, já que agora havia algo de empolgante acontecendo comigo também.

— Podemos ir para Portland daqui algumas semanas — prometeu Adam. — Quando toda a decoração de Natal estiver pronta.

— Tudo bem — respondi sem o menor entusiasmo.

Adam suspirou.

— As coisas estão ficando complicadas, não é?

— É. Estamos com as agendas muito ocupadas.

— Não foi isso que eu quis dizer — retrucou Adam, virando o meu rosto para que assim eu pudesse olhar bem nos olhos dele.

— Sei que não foi isso que você quis dizer — retruquei, mas então senti um nó na garganta e não consegui dizer mais nada.

Tentamos aliviar a tensão, conversar sobre ela sem de fato falar sobre ela.

— Sabe, li no *US News and World Report* que a Willamette University tem um excelente programa de música — disse Adam. — Fica em Salem, que aparentemente está ficando cada vez mais na moda.

— De acordo com a opinião de quem? Do governador? — rebati.

— Liz encontrou umas coisas legais numa loja de roupas vintage que tem lá. E, você sabe, quando começam a aparecer essas coisas, é sinal que o lugar está se modernizando.

— Mas você esquece que eu não faço nem um pouco o tipo moderninha — lembro-o. — Mas já que estamos falando nisso, talvez a Shooting Star deva se mudar para Nova York. Digo, afinal, a cidade é o coração do cenário punk. Ramones. Blondie.

Eu disse isso com um tom de voz frívolo e ao mesmo tempo sedutor.

— Isso foi há trinta anos — reagiu Adam. — E mesmo se eu quisesse mudar para Nova York, tenho certeza de que o resto do pessoal da banda não aceitaria isso.

Ele ficou olhando melancolicamente para os próprios sapatos, e foi então que percebi que a parte da brincadeira da conversa tinha acabado. Senti o meu estômago embrulhado, um aperitivo que antecedeu a porção cheia de mágoa que estava por vir.

Adam e eu nunca fomos muito o tipo de casal que conversa sobre o futuro, nem sobre os planos do nosso relacionamento, mas, como as coisas entre nós, de repente, começaram a ficar obscuras, evitávamos falar sobre qualquer coisa que estava para acontecer num período maior do que as próximas semanas. Isso fez com que as nossas conversas se tornassem artificiais e estranhas, exatamente como no começo do nosso relacionamento quando ainda tentávamos encontrar uma maneira de nos comunicar melhor. Uma tarde, no outono, vi na vitrine um vestido de seda lindo, dos anos de 1930, na mesma loja vintage onde papai comprava seus ternos. Quase o mostrei para Adam e perguntei se ele achava que eu poderia usá-lo na formatura, mas a formatura só seria em junho, e talvez Adam estivesse viajando com as suas turnês ou talvez eu estivesse ocupada demais com os preparativos para a Juilliard, então resolvi não dizer nada. Não muito tempo depois disso, Adam reclamou que a guitarra dele estava ficando muito batida e disse que queria uma Gibson SG. Eu disse a ele que compraria e lhe daria de presente de aniversário, mas Adam afirmou que aquele tipo de guitarra custava milhares de dólares e que, além disso, o aniversário dele era só em setembro. O jeito com que ele disse "setembro" soou como um juiz decretando uma sentença de prisão.

Faz algumas semanas, fomos a uma festa de Réveillon juntos. Adam ficou bêbado, e quando bateu meia-noite, ele me deu um beijaço.

— Vai, promete que vai passar o próximo Réveillon comigo — sussurrou no meu ouvido.

Estava a ponto de explicar que mesmo que eu fosse admitida na Juilliard, passaria o Natal e o Ano-Novo em casa, mas então percebi que a questão não era essa. Então fiz a promessa conforme ele pediu, porque eu queria que ela se cumprisse tanto quanto Adam. Depois retribuí o beijo com a mesma intensidade, como se quisesse fundir o meu corpo com o dele através dos nossos lábios.

No dia do Ano-Novo, cheguei em casa e encontrei toda a minha família na cozinha, reunida, além de Henry, Willow e o bebê deles. O papai estava preparando o café da manhã: picadinho de salmão, sua especialidade.

Henry balançou a cabeça ao me ver:

— Vejam só essas crianças. Parece que foi ontem que chegar em casa às oito era cedo. Hoje em dia eu seria capaz de matar alguém para poder dormir até as oito.

— Nem conseguimos ficar acordamos até a meia-noite — admitiu Willow, embalando o bebê no colo. — O que foi até bom porque a mocinha aqui quis começar a comemorar o Ano- Novo às cinco e meia.

— Eu fiquei acordado até meia-noite! — gritou Teddy. — Eu vi aquela bola caindo quando deu meia-noite. É em Nova York, sabia? Se você mudar pra lá, vai me levar para ver a bola ao vivo? — perguntou ele.

— Claro que vou, Teddy — respondi, fingindo entusiasmo. A ideia de mudar para Nova York parecia cada vez mais real e, embora essa ideia geralmente me deixasse nervosa, confusa e entusiasmada ao mesmo tempo, imaginar Teddy e eu juntos na véspera do Ano-Novo me trouxe uma sensação insuportável de solidão.

Mamãe olhou para mim, sobrancelhas arqueadas.

— Hoje é o primeiro dia do ano, então não estou nem um pouco preocupada com a hora que você chegou em casa, mas se você estiver de ressaca, vai ficar de castigo.

— Não estou. Só bebi uma cerveja. Só estou meio cansada.

— Só meio cansada? Tem certeza?

Mamãe agarrou o meu pulso e me virou para ela. Ao ver a minha expressão abatida, ela inclinou a cabeça um pouco para o lado como se quisesse dizer: "Você está bem?". Dei de ombros e mordi os lábios para me controlar. Mamãe balançou a cabeça, me deu uma xícara de café e me levou até a mesa. Depois me serviu um prato de salmão e uma fatia grossa de pão, e mesmo achando que não estava com um pingo de fome, fiquei com água na boca, meu estômago roncou e, de repente, me senti muito faminta. Comi em silêncio, e mamãe ficou me observando o tempo todo. Depois que todos terminaram, ela pediu para que fossem para a sala assistir à *Rose parade* na TV.

— Todo mundo! Para a sala! — ordenou ela. — Mia e eu vamos lavar a louça.

Assim que todos saíram, mamãe se virou para mim e eu simplesmente desmoronei em cima dela, aos prantos, aliviando a tensão e a incerteza que eu vinha carregando nas últimas semanas. Mamãe ficou parada, em silêncio, me deixando ensopar o seu suéter. Quando parei, ela me entregou a esponja.

— Você lava, eu seco. Vamos conversar enquanto isso. Água morna e sabão. Isso sempre serviu como um calmante pra mim.

Mamãe pegou o pano de prato e começamos a trabalhar. Contei-lhe sobre Adam e eu:

— Parece que esse um ano e meio em que estamos juntos foram os meses mais perfeitos do mundo — falei. — Tanto que nunca cheguei a pensar sobre o futuro. Sobre as direções diferentes que cada um de nós poderia tomar.

Mamãe sorriu. Um sorriso triste e ao mesmo tempo de quem entendia exatamente o que eu estava falando.

— *Eu* pensei nisso.

Virei para ela. Minha mãe estava olhando para a janela, observando dois pardais que estavam se banhando numa poça d'água.

— Lembro do ano passado, quando Adam veio para passar a véspera do Natal com a gente. Disse para o seu pai que vocês tinham se apaixonado cedo demais.

— Já sei, já sei. O que uma garotinha estúpida conhece sobre o amor?

Mamãe parou de secar uma frigideira.

— Não foi isso que eu quis dizer. Eu quis dizer exatamente o contrário. O seu relacionamento com o Adam nunca me pareceu um romancezinho de colégio — retrucou a mamãe fazendo um símbolo de aspas com as mãos. — Não tem nada a ver com encher a cara na caçamba de uma picape como acontecia com os relacionamentos na minha época de colégio. Vocês dois pareciam, e ainda parecem, apaixonados, um amor verdadeiro e profundo. — Ela suspirou. — Mas dezessete anos não é uma idade nada conveniente para se apaixonar.

Isso me fez sorrir e aliviou ligeiramente o desconforto no estômago.

— Nem me fale. E se nós dois não fôssemos músicos, poderíamos ir para a faculdade juntos e tudo ficaria bem — confessei.

— Isso seria fugir do problema, Mia — ponderou mamãe. — Todo relacionamento tem suas dificuldades. Assim como a música, às vezes se tem harmonia e outras, cacofonia. Eu não preciso lhe explicar sobre isso.

— Sim, acho que tem razão.

— E, por favor, foi a música que uniu vocês. Foi isso que eu e seu pai sempre pensamos. Vocês dois são apaixonados por música e então se apaixonaram um pelo outro. Foi mais ou menos como aconteceu comigo e com o seu pai. Eu não tocava nada, mas escutava. Felizmente, eu era um pouco mais velha que ele.

Nunca contei para mamãe o que Adam havia dito naquela noite do concerto do Yo-Yo Ma quando perguntei a ele: "Por que eu?", assim como nunca contei que a música fazia totalmente parte disso.

— É, mas agora sinto como se a música estivesse a ponto de nos separar.

Mamãe balançou a cabeça.

— Bobagem! A música não faz isso. A vida, essa sim pode fazer vocês dois tomarem rumos diferentes. Mas cabe a cada um de vocês escolher que caminho quer seguir. — Ela se vira e olha bem para mim. — Adam não está tentando te impedir de ir pra Juilliard, está?

— Não mais do que eu estou tentando fazer com que ele mude para Nova York. E de qualquer forma, essa hipótese é ridícula. Pode ser que eu nem vá.

— Sim, pode ser que não. Mas com certeza, você vai para algum lugar. Acho que todos nós sabemos disso. E o mesmo é válido para Adam.

— Pelo menos ele pode ir para um lugar diferente e continuar morando aqui.

A mamãe deu de ombros.

— Talvez. Pelo menos por enquanto.

Levo as mãos ao rosto e balanço a cabeça.

— O que vamos fazer? — lamento. — Sei que estou bem no meio de um cabo de guerra.

Mamãe me ofereceu um olhar de solidariedade.

— Não sei. Mas se você quer ficar com ele, eu a apoiaria, embora eu só esteja dizendo isso porque não acho que você seja capaz de desistir de Juilliard. Mas eu entenderia se você escolhesse o amor, o amor do Adam em vez do amor pela música. Seja qual for a sua escolha, vai sair ganhando. Assim como também vai sair perdendo. O que eu posso te dizer? O amor é uma merda.

Adam e eu conversamos mais uma vez sobre o assunto. Fomos para o Porão do Rock e sentamos em um futon. Adam ficou dedilhando uma música no violão.

— Pode ser que eu não consiga entrar — disse para ele. — Talvez eu acabe aqui, e entre na faculdade com você. De certa forma, espero que não me chamem, porque aí não vou precisar escolher.

— Se você entrar, a escolha já vai estar feita, não é? — perguntou Adam.

E já estava mesmo. Eu iria. E isso não significava que deixaria de amar Adam nem que nós terminaríamos, mas tanto mamãe quanto papai estavam certos. Eu não abriria mão da Juilliard.

Adam ficou em silêncio por um minuto, dedilhando notas tão altas no violão que quase não o escutei quando ele falou:

— Não quero ser o cara que vai dizer para você não ir. Se eu estivesse nessa situação, você me deixaria ir.

— Eu já deixei. De certa forma, você já foi. Para a sua própria Juilliard — pontuei.

— Eu sei — afirmou Adam com a voz baixa. — Mas eu continuo aqui. E continuo perdidamente apaixonado por você.

— Eu também.

E então, paramos de falar por um momento enquanto Adam executava alguma melodia desconhecida. Perguntei o que estava tocando.

— Se chama "O blues da namorada que vai para Juilliard e deixa o meu coração de roqueiro aos pedaços" — explicou ele, cantando o título num tom de voz exageradamente agudo.

Depois, Adam me deu aquele sorriso bobo, acanhado e sincero que vinha bem do fundo do coração.

— Estou brincando — falou.

— Acho bom.

— Quer dizer, mais ou menos — acrescentou ele.

5h42

Adam se foi. Ele sai correndo, de repente, dizendo para a enfermeira Ramirez que esqueceu alguma coisa importante e que vai voltar o mais breve possível. Ele já está do lado de fora das portas automáticas quando a enfermeira lhe avisa que o seu turno está prestes a acabar. Na verdade, ela já se foi, mas não sem antes informar a enfermeira que está substituindo a rabugenta que "o rapaz com calça skinny e cabelo arrepiado" tem permissão para entrar e me ver.

Não que isso fosse realmente importante. É Willow quem está no comando agora. Ela passou a madrugada inteira trazendo as pessoas. Depois dos meus avós e Adam, tia Patrícia veio me ver. Depois, foi a vez da tia Diane e do tio Greg. A seguir, vieram também meus primos. Willow anda para lá e para cá com um brilho nos olhos. Ela está tramando alguma coisa, não sei se está trazendo todos os meus familiares para que eu tenha a força necessária para prosseguir com a minha vida terrena ou se simplesmente está fazendo isso para que eu possa me despedir deles. Não sei dizer.

Agora é a vez de Kim. Pobre Kim. Ela está como se estivesse dormido numa caçamba de lixo. O cabelo está todo desgrenhado e, na trança, há mais fios soltos do que presos. Ela está vestindo um suéter daqueles que costuma dizer que têm "cor de cocô" porque é ao mesmo tempo esverdeado, acinzentado e amarronzado, coisas que a mãe dela sempre comprava. Primeiro, Kim semicerra os olhos para mim, como se eu fosse um brilho, uma luz muito reluzente. Mas depois, como se os seus olhos tivessem se ajustado à luz, ela decide que, mesmo que eu esteja neste estado semelhante ao de um zumbi, mesmo que haja tubos ligados em cada um dos orifícios do meu corpo, mesmo que o sangue tenha vazado do meu curativo e tenha manchado o meu cobertor fino, continuo sendo a Mia e ela, a Kim. E o que Mia e Kim mais gostam de fazer? Conversar.

Kim se ajeita na cadeira próxima à minha cama.

— E aí, como você está? — pergunta.

Não tenho certeza. Estou exausta, mas ao mesmo tempo, a visita de Adam me deixou... sei lá. Agitada. Ansiosa. Acordada, definitivamente acordada. Ainda que eu não tenha sentido o seu toque, a presença dele mexeu comigo. Eu estava começando a me sentir grata pelo fato de Adam estar aqui quando ele saiu correndo como se estivesse sendo perseguido pelo diabo. Ele tinha passado as últimas dez horas tentando me ver, e agora que tinha finalmente conseguido, saiu dez minutos depois de entrar. Talvez ele tenha se assustado comigo. Talvez ele não queira lidar com esta situação. Talvez eu não seja a única pessoa patética aqui. Afinal, passei o dia inteiro sonhando com a visita dele e quando Adam finalmente conseguiu atravessar as portas da UTI, se eu tivesse forças, teria fugido.

— Olha, você não vai acreditar na noite maluca que tive — começa Kim.

E então, ela começa a me contar sobre tudo. Sobre a histeria da mãe dela, sobre como ela surtou com a mãe na frente dos meus familiares, que foram muito gentis diante da situação toda. Kim conta também sobre a briga que teve com a mãe do lado de fora do Roseland Theater, na frente de um monte de roqueiros e punks, de como gritou com a mãe pedindo para que ela se "controlasse e começasse a agir como uma pessoa adulta", e depois entrou no clube, deixando a sra. Schein em estado de choque na calçada. Em seguida, ela diz que um grupo de caras com o cabelo fluorescente e vestindo jaqueta de couro a cumprimentaram com um toque de mão. Ela me conta sobre o Adam, sobre a determinação dele para conseguir me ver, sobre como foi expulso da UTI e pediu ajuda aos companheiros de música que não eram aquele povo esnobe que ela havia julgado. Depois, Kim me contou que uma verdadeira estrela do rock tinha vindo ao hospital só por minha causa.

Claro que sei de quase tudo que Kim está me contando, mas ela não tem como saber. Além disso, gosto de ouvi-la relatar os acontecimentos do dia para mim. Gosto da maneira natural com que Kim está falando comigo, exatamente como vovó fez um pouco antes, tagarelando e contando uma boa história, como se estivéssemos juntas na varanda da minha casa, tomando um café (ou um Frappuccino gelado com caramelo, no caso de Kim) e colocando o papo em dia.

Não sei se depois que você morre consegue se lembrar das coisas que aconteceram com você ainda em vida. Há um sentido meio lógico que nos faz pensar que não, não nos lembramos. Que estar morto é como o estado em que nos encontramos antes de nascer, ou seja, um amontoado de coisas inexistentes. Mas, para mim, pelo menos, os anos que antecederam o meu nascimento não são um branco total. De vez em quando, mamãe e papai sempre me contam alguma história sobre como papai fisgou o primeiro salmão com vovô, ou mamãe recorda o show surpreendente do Dead Moon a que ela assistiu com o papai no primeiro encontro deles, e sou tomada por uma enorme onda de *déjà vu*. Não apenas por aquela sensação de já ter ouvido alguma história antes, mas porque eu a vivi. Posso ver a mim mesma sentada na beira do rio enquanto o papai puxa o peixe rosado da água, mesmo que ele tivesse apenas doze anos na época. Ou então, posso ouvir o feedback quando o papai tocou "D.O.A" no X-RAY, mesmo sem nunca ter visto a Dead Moon tocando ao vivo e mesmo que o X-Ray Café tenha fechado antes mesmo de eu nascer. Mas, às vezes, essas lembranças parecem tão reais, tão profundas e tão pessoais que as confundo com as minhas próprias lembranças.

Nunca contei a ninguém sobre essas "lembranças". Mamãe provavelmente diria que eu estava lá — em formato de óvulo em um dos seus ovários. Papai brincaria dizendo que ele e mamãe tinham me torturado tanto contando essas histórias que acabei sendo vítima de uma lavagem cerebral. E vovó diria que talvez eu *estivesse* lá como um anjo antes de escolher me tornar a filha dos meus pais.

Mas agora eu me questiono. E também tenho esperanças. Porque, quando eu partir, quero me lembrar de Kim. E quero me lembrar dela exatamente assim: contando uma história engraçada, discutindo com a mãe descontrolada, sendo cumprimentada pelos punks, conseguindo se sair bem da situação, se apegando às suas forças internas que ela nem sequer imaginava que tinha.

Com Adam, a história é diferente. Lembrar-me dele seria como perdê-lo de novo, e não tenho certeza se consigo suportar isso e todo o resto.

Kim chegou à parte da "Operação distração" em que Brooke Vega e uma dúzia de punks chegaram ao hospital. Ela me conta que antes de chegarem à UTI, estava com muito medo de se meter em encrenca, mas que, depois que conseguiu entrar, vibrou por dentro e que, quando o segurança a abordou, ela não sentiu medo nenhum.

— Fiquei pensando: "Qual é a pior coisa que pode acontecer? Ir para a cadeia. Mamãe ter um ataque de histeria e eu ficar de castigo por um ano." — Kim faz uma pausa. — Mas, depois do que aconteceu hoje, isso não seria nada. Até ir para a cadeia seria muito mais fácil comparado a perder você.

Sei que Kim está me dizendo isso na tentativa de me manter viva. Provavelmente, ela nem percebe que, de um modo estranho, seu comentário me liberta, exatamente como a permissão do vovô. Sei que para ela, a minha morte seria algo terrível, mas também penso no que ela disse, sobre não sentir medo e que a cadeia seria uma tarefa fácil comparada a me perder. E com isso, sei que Kim ficará bem. A perda será uma grande dor, o tipo que não parece muito real num primeiro momento, mas que depois consegue tirar o nosso fôlego. E o resto do último ano dela no colégio provavelmente será uma droga — receber todo o tipo de atenção porque perdeu a melhor amiga vai ser um saco para ela. Além do mais, sou a única amiga de verdade que ela tem no colégio, da mesma forma que Kim também é a minha única amiga. Mas ela vai superar isso. Vai seguir adiante e se mudar de Oregon. Vai para a faculdade, fazer novos amigos, se apaixonar. Kim vai se tornar fotógrafa, o tipo que nunca precisa viajar de helicóptero. E aposto que ela vai ser uma pessoa mais forte diante de situações difíceis por causa do que ela perdeu hoje. Sinto que quando se passa por uma situação como essa, você se torna meio que invencível.

Sei que isso faz com que eu pareça meio hipócrita. E, se for esse o caso, será que *eu* não devo ficar? Enfrentar? Talvez se eu tivesse mais prática, talvez se eu tivesse passado por outras situações difíceis em minha vida, estaria mais preparada para seguir adiante. Não que a minha vida tenha sido perfeita. Tive decepções, já me senti solitária, decepcionada, enraivecida e todas aquelas coisas ruins que todo mundo sente. Mas, em se tratando de sofrimentos de verdade, fui poupada. Nunca fui forte o suficiente para enfrentar tudo o que teria de enfrentar se eu decidisse ficar.

Kim está me contando agora sobre como foi ser salva por Willow da possibilidade mais que certa de ir para a cadeia. Enquanto ela descreve como Willow assumiu o controle de toda a situação no hospital, sua voz se enche de admiração. Imagino Kim e Willow se tornando amigas, mesmo que haja uma diferença de vinte anos de idade entre as duas. Fico feliz ao pensar nas duas tomando chá, ou indo ao cinema juntas, ainda unidas uma a outra por um laço invisível de uma família que não existe mais.

Agora, Kim está enumerando todas as pessoas que estão no hospital e as que já se foram, contando-as nos dedos:

— Os seus avós e suas tias e tios, e primos. Adam, Brooke Vega e todos os seguidores que vieram na cola dela. Os companheiros de banda de Adam: Mike e Fitzy e Liz e a namorada dela, Sarah, que estão lá embaixo na sala de espera desde que foram enxotados da UTI. A professora Christie, que veio de carro até aqui e ficou metade da noite antes de voltar para dormir algumas horinhas, tomar um banho e cuidar de uns compromissos que tinha hoje de manhã. Henry e o bebê, que estão vindo para cá agora porque a neném acordou às cinco da manhã e Henry ligou pra gente avisando que não aguentava mais ficar em casa. E eu e a minha mãe — conclui Kim. — Merda. Perdi a conta de quantas pessoas são. Mas é um número grande. E mais gente ligou perguntando se poderia vir, mas sua tia Diane pediu a elas que esperassem. Ela diz que só nós já estamos causando muita confusão. E acho que quando ela diz "nós" está se referindo a Adam e eu.

Kim faz uma pausa e sorri por um segundo. Depois, ela faz um barulho estranho, alguma coisa entre uma tosse e um pigarro. Já a vi fazendo esse barulho antes; é o que ela faz quando está reunindo forças para mergulhar em águas mais profundas e dar de cara com as pedras ao fundo do rio.

— Estou dizendo tudo isso por um motivo — prossegue ela. — Tem mais ou menos umas vinte pessoas lá na sala de espera agora. Algumas são da sua família, outras não. Mas todos nós somos a sua família agora.

Kim interrompe a fala. Inclina-se para se aproximar de mim e as mechas do seu cabelo fazem cócegas no meu rosto. Ela me dá um beijo na testa.

— Você ainda tem uma família — sussurra.

No verão passado, decidimos fazer uma festa para o Dia do Trabalho, na nossa casa. Foi uma época agitada. Eu, na colônia de férias. Depois, fomos visitar a família da vovó, em Massachusetts. Senti como se mal tivesse visto o Adam e a Kim durante todo o verão. Meus pais reclamaram que fazia meses que não viam Willow, Henry e o bebê deles.

— Henry disse que ela está começando a andar — comentou papai naquela manhã. Estávamos todos sentados na sala de estar, de frente para o ventilador, tentando não derreter.

Naquele verão, Oregon bateu o recorde de calor. Eram dez da manhã e os termômetros já marcavam trinta e dois graus.

Mamãe olhou para o calendário.

— Ela já está com dez meses. Como o tempo passou, não é? — Depois, ela olhou para mim e para Teddy. — Como é que pode, meu Deus? Tenho uma filha que está começando o terceiro ano do Ensino Médio? E como é que pode, um bebezinho desse entrando na segunda série, já?

— Eu não sou bebê — resmungou Teddy, visivelmente ofendido.

— Desculpa. A menos que seu pai e eu tenhamos outro filho, você vai ser sempre o meu bebê.

— Outro filho? — perguntou papai com a voz alarmada.

— Ah, relaxa! Estou brincando — falou a mamãe. — Eu acho. Vamos ver como eu vou ficar depois que a Mia for para a faculdade.

— Vou fazer oito em dezembro. Aí vou ser um homem e você vai ter que me chamar de "Ted" — advertiu meu irmão.

— Ah é?! — Soltei um riso, fazendo o suco de laranja que eu estava tomando espirrar no meu nariz.

— Foi isso que Casey Carson me disse — respondeu Teddy, cheio de determinação.

Meus pais e eu deixamos escapar um sorriso. Casey Carson era o melhor amigo de Teddy, todos nós gostávamos muito dele e achávamos que os seus pais eram pessoas legais, então não conseguíamos entender por que deram um nome tão ridículo para o filho.

— Bom, se Casey Carson acha isso — falei com uma risadinha e logo mamãe e papai começaram a rir também.

— Qual é a graça? — questionou Teddy.

— Nada, rapazinho — respondeu papai. — É só o calor.

Papai tinha prometido a Teddy que correria pelos esguichos do gramado naquela tarde, embora o governador tivesse pedido a toda população que economizasse água naquele verão. O pedido irritou papai, que alegou que a população de Oregon sofre oito meses do ano com as chuvas e que deveria ser poupada de um pedido de economia de água como esse.

— Mas é claro que podemos — falou papai. — Vamos inundar esse lugar se for preciso.

Teddy pareceu tranquilo agora.

— Se a neném já pode andar, então ela já pode correr pelo gramado comigo. Será que vão deixar?

Mamãe olhou para o papai.

— Não é má ideia. Acho que Willow está de folga hoje.

— Podemos fazer um churrasco. Afinal, hoje é o Dia do Trabalho e torrar em frente à brasa da churrasqueira com certeza pode ser qualificado como trabalho.

— Além disso, o freezer está cheio de carne, desde aquela vez que o seu pai comprou um monte... — acrescentou mamãe. — Então, por que não?

— Adam pode vir? — perguntei.

— Claro. Já faz um tempo que não vemos o seu garotinho.

— Eu sei. É que as coisas estão começando a esquentar pra banda dele — expliquei.

Naquela época, eu estava entusiasmada com isso. De maneira sincera e completa. A vovó tinha acabado de plantar a semente de Juilliard na minha cabeça, mas ela ainda não havia criado suas raízes. Eu ainda não tinha decidido se me inscreveria ou não. As coisas com Adam ainda não estavam estranhas.

— Isso se ele conseguir aguentar um humilde churrasco com um pessoal tapado que nem a gente — brincou o papai.

— Bem, se ele consegue aturar uma tapada como eu, com certeza vai conseguir aturar vocês também — afirmei, brincando. — Acho que vou convidar a Kim.

— Quanto mais gente, melhor — disse mamãe. — Vamos fazer isso aqui bombar como nos velhos tempos.

— Quando os dinossauros ainda habitavam a Terra? — provocou Teddy.

— Isso mesmo — respondeu papai. — Quando os dinossauros habitavam a Terra e a sua mãe e eu éramos jovens.

Vieram mais ou menos umas vinte pessoas. Henry, Willow, o bebê; Adam, que trouxe Fitzy; Kim, que trouxe uma prima que tinha vindo de Nova Jersey; mais uma porção de amigos dos meus pais que eu não via há um tempão. O papai tirou a churrasqueira antiga do porão e começou a limpá-la. Assamos a carne na brasa e, como estamos em Oregon, espetinhos de tofu e hambúrgueres de soja não poderiam faltar. Também tinha melancia, que mantivemos num balde com água gelada, e salada de legumes, feita com vegetais de uma fazenda de orgânicos, trazidos por um casal amigo dos meus pais. Mamãe e eu fizemos três tortas de frutas vermelhas que Teddy e eu tínhamos colhido. Tomamos Pepsi numa dessas garrafas antigas que o papai tinha achado em alguma loja de antiguidades, e posso jurar que o gosto da bebida ficou muito melhor do que a Pepsi na garrafa convencional. Talvez fosse porque estava quente demais, ou porque a festa tinha sido organizada do nada, ou porque tudo tem um gosto melhor no churrasco, mas foi uma daquelas refeições que você jamais esquece.

Quando papai ligou o aspersor para Teddy e o bebê, todo mundo resolveu correr pelo gramado. Deixamos a torneira ligada por tanto tempo que a grama suja de terra se transformou numa poça enorme e escorregadia, e eu fiquei me perguntando se o próprio governador viria para nos mandar desligar. Adam me puxou, rimos juntos e rolamos pelo gramado. Estava tão quente que eu nem me preocupei em trocar de roupa, e colocar alguma coisa limpa, só continuei me molhando toda vez que me sentia suada demais. No final do dia, meu vestido estava duro. Teddy tinha tirado a camiseta e pintado o corpo com lama. Papai disse que ele parecia um daqueles meninos do livro *O senhor das moscas*.

Quando começou a escurecer, a maioria do pessoal foi embora para assistir à queima de fogos na universidade ou para assistir à apresentação na cidade de uma banda chamada Oswald Five-0. Uma porção de gente, incluindo Adam, Kim, Willow e Henry, ficou. Quando refrescou um pouco, o papai acendeu uma fogueira no gramado e assamos marshmallows. E aí os instrumentos musicais apareceram. O papai trouxe a bateria de dentro de casa, Henry pegou sua guitarra no carro e Adam pegou o violão que estava no meu quarto. Todos tocaram juntos e cantaram: músicas da banda do papai, outras da banda de Adam e músicas antigas do The Clash e do Wipers. Teddy ficou dançando pelo gramado, as chamas da fogueira iluminando os fios loiros do seu cabelo. Lembro-me de ter observado aquilo tudo, de ter tido uma sensação muito boa no peito e de ter pensado: *Isso é que é felicidade*.

Em um determinado momento, papai e Adam pararam de tocar e peguei os dois cochichando sobre alguma coisa. Então os dois foram lá para dentro, para pegar mais cerveja, segundo eles. Mas quando voltaram, vieram carregando o meu violoncelo.

— Ah, não. Nada disso. Não vou fazer nenhum concerto aqui — falei.

— Mas não queremos que você faça isso — ponderou papai. — Queremos que você toque com a gente.

— Sem chance — retruquei.

Adam já tinha tentado me convencer a fazer um "dueto" com ele, mas sempre recusei. Ultimamente, ele brincava dizendo que deveríamos fazer um dueto de guitarra e violoncelo imaginários, que era o máximo que eu me dispunha a fazer.

— Por que não, Mia? — perguntou Kim. — Não vá me dizer que é uma daquelas pessoas esnobes que só pensam em música clássica.

— Não, não é isso — respondi, me sentindo tomada por uma onda de pânico. — Acontece que são dois estilos muito diferentes. Não combinam.

— Quem disse? — indagou mamãe com as sobrancelhas elevadas.

— É.... Quem diria que você se transformaria numa segregacionista musical? — brincou Henry.

A Willow revirou os olhos para Henry e se virou para mim.

— Por favor, querida — pediu ela enquanto embalava a filha em seu colo, tentando fazê-la dormir. — Nunca mais ouvi você tocar.

— *Vamo aê*, Mi! — insistiu Henry. — Só tem gente da família aqui.

— Concordo! — lançou Kim.

Adam segurou a minha mão e acariciou o interior do meu pulso.

— Por mim. Quero muito tocar com você. Pelo menos uma vez.

Eu estava prestes a balançar a cabeça para reafirmar que não havia lugar para o meu violoncelo em meio àquelas guitarras estridentes, nem no mundo do punk rock. Mas então olhei para minha mãe, que estava sorrindo para mim com sarcasmo, como se quisesse me desafiar, para meu pai, que estava tamborilando o dedo no cachimbo, fingindo indiferença para não me pressionar, e para Teddy, que saltitava — embora considere que isso era o efeito dos marshmallows e não porque ele tivesse a menor intenção de me convencer a tocar. Além do mais, Kim, Willow e Henry, todos olhando para mim como se aquilo realmente fosse importante, e Adam, aparentando estar tão impressionado e orgulhoso de mim como sempre ficava quando me ouvia tocar.

E eu estava com um pouco de medo de pagar mico, de não conseguir me encaixar entre eles, de acabar tocando mal. Mas todos me olhavam tão incisivamente, querendo que eu me juntasse a eles, e foi aí que percebi que tocar mal não seria a pior coisa que poderia acontecer.

Então toquei. E por incrível que pareça, o violoncelo não soou nada mal em meio àquelas guitarras. Para ser bem sincera, o resultado foi bastante surpreendente.

7h16

Amanheceu. E dentro do hospital, há um tipo de aurora diferente, um farfalhar de cobertores, um esfregar de olhos. De certa forma, o hospital nunca dorme. As luzes permanecem acesas e as enfermeiras, acordadas. Apesar de ainda estar escuro lá fora, pode-se dizer que as coisas começam a despertar. Os médicos estão de volta, puxando as minhas pálpebras para cima, colocando a luz daquela lanterna sobre mim, franzindo as sobrancelhas enquanto escrevem no meu prontuário como se eu os tivesse decepcionado.

Não me importo mais. Estou cansada disso tudo e sei que logo tudo vai acabar. A assistente social também voltou. Parece que a noite de sono não surtiu muito efeito. Seus olhos continuam pesados, o cabelo, meio ondulado, meio desgrenhado. Ela lê o meu prontuário e recebe informações das enfermeiras sobre a minha noite instável, o que faz com que a assistente social pareça ainda mais cansada. A enfermeira de pele negra-azulada também está de volta. Ela me cumprimenta, dizendo o quanto está feliz em me ver de novo, no quanto pensou em mim na última noite, desejando que eu estivesse aqui. Então, ela percebe a mancha de sangue no meu cobertor e emite um *tsc, tsc, tsc* antes de sair às pressas para trazer um cobertor limpo.

Depois que Kim saiu, não recebi muitas outras visitas. Acho que Willow não tem mais ninguém para trazer até aqui. Pergunto-me se *todas* as enfermeiras sabem dessa história de que sou eu quem tem de tomar a decisão. A enfermeira Ramirez com certeza sabe. E acho que a enfermeira que está comigo agora também, a julgar pela forma como me parabeniza por eu ter sobrevivido à noite. E Willow se comporta como se soubesse também, já que fez questão de trazer todo mundo aqui. Gosto muito dessas enfermeiras. Espero que elas não levem a minha decisão para o lado pessoal.

Estou tão cansada agora que mal consigo piscar os olhos. É só uma questão de tempo, e uma parte de mim se questiona por que estou tentando adiar o inevitável. Mas sei por quê. Estou esperando Adam voltar. Embora pareça que ele se foi para sempre, provavelmente faz apenas uma hora. E ele pediu para eu esperar, então é isso que vou fazer. É o mínimo que posso fazer por ele.

Meus olhos estão fechados, então eu o ouço antes de vê-lo. Ouço sua respiração rápida e ofegante. Adam respira como se tivesse acabado de correr numa maratona. Então sinto o cheiro do suor dele, um aroma agradável e almiscarado que, se eu pudesse, colocaria dentro de um vidro e usaria como perfume. Abro os olhos. E Adam fecha os dele. Mas suas pálpebras estão rosadas e inchadas, então sei muito bem o que ele andou fazendo. Foi por isso que ele saiu? Para chorar sem que eu o visse?

Ele não senta na cadeira. Desmorona sobre ela feito uma peça de roupa que atiramos no chão depois de um dia longo. Adam cobre o rosto com as mãos e respira fundo, tentando se manter firme. Depois de um minuto, ele põe as mãos sobre o colo.

— Só quero que ouça — diz ele com uma voz que parece estilhaçada.

Abro bem os meus olhos, ajeito o corpo da melhor forma possível. E ouço.

— Fique. — Com essa única palavra, a voz de Adam falha, mas ele engole a emoção e prossegue. — Não há como descrever o que aconteceu com você. Não tem nem um ponto positivo nisso. Mas *existe* um motivo para você viver. E não estou falando de mim. É só que... não sei. Talvez eu esteja falando besteira. Sei que estou em estado de choque. Sei que ainda não digeri o que aconteceu com os seus pais, com o Teddy... — Quando diz "Teddy", a voz dele falha de novo e uma avalanche de lágrimas desaba e escorre pelo rosto de Adam. E eu penso: *Eu te amo.*

Ouço-o inspirar para tentar se acalmar. Então, ele continua:

— Tudo que consigo pensar é em como vai ser uma merda se a sua vida acabar agora. Sei que a sua vida vai ser uma droga de qualquer jeito, depois do que aconteceu. E não sou tão idiota assim pra achar que posso desfazer isso ou que qualquer outra pessoa possa. Mas não consigo me conformar com a ideia de que você não vai envelhecer, de que não vai para a Juilliard tocar o violoncelo na frente de uma plateia enorme para eles ficaram tão arrepiados quanto eu fico toda vez que vejo você pegar o seu arco, toda vez que vejo você sorrir pra mim. Se você ficar, vou fazer tudo o que você quiser. Vou sair da banda e vou para Nova York com você. Mas se quiser que eu saia da sua vida, vou fazer isso também. Estava conversando com a Liz e ela disse que, talvez, voltar para a sua antiga vida fosse doloroso demais, e que talvez seja mais fácil para você simplesmente apagar todos nós da sua vida. Vai ser uma barra pesada para mim, mas posso aguentar. Aceito perder você desse jeito, se eu não perdê-la hoje. Vou deixá-la livre. Se você ficar.

E então, Adam se descontrola. Ele explode em soluços como socos numa pele macia.

Fecho os olhos. Cubro as minhas orelhas. Não posso ver isso. Não posso ouvir isso.

Mas então, não é mais o Adam que escuto agora. É aquele som, um gemido baixo que num instante alça voo e se transforma em algo doce. É o violoncelo. Adam colocou os fones nos meus ouvidos mortos e o iPod sobre o meu peito. Ele pede desculpas, diz que sabe que essa não é a minha favorita, mas que foi o melhor que ele conseguiu fazer. Ele aumenta o volume para que eu possa ouvir a música flutuando sobre o ar da manhã. Depois, segura a minha mão.

É Yo-Yo Ma. *Andante con poco e moto.* O piano baixo soa quase como um aviso. E então, entra o violoncelo, como um coração sangrando. E sinto como se algo dentro de mim explodisse.

Estou sentada ao redor da mesa de café da manhã com a minha família, tomando café quentinho, rindo do bigode que o achocolatado formou perto da boca do Teddy. Lá fora, está nevando.

Estou visitando um cemitério. Três túmulos debaixo de uma árvore, numa colina, com vista para um rio.

Estou deitada ao lado de Adam, com a cabeça sobre o peito dele, num banco de areia, bem perto do rio.

Ouço as pessoas dizendo a palavra órfã e percebo que estão falando de mim.

Estou passeando pelas ruas de Nova York com a Kim, e as sombras dos arranha-céus recaem sobre o nosso rosto.

Estou segurando Teddy no colo, fazendo cócegas nele e ele curva o corpo de tanto rir.

Estou sentada com meu violoncelo, o mesmo que mamãe e papai me deram depois do meu primeiro recital. Meus dedos acariciam a madeira e a cravelha, que com o tempo e o uso ficaram gastos. Meu arco está posicionado sobre as cordas. Olho para minha mão agora, esperando para começar a tocar.

Estou olhando para a minha mão, que está envolvida pela mão de Adam.

Yo-Yo Ma continua tocando, e sinto como se o piano e o violoncelo entrassem no meu corpo, do mesmo jeito que o soro e as transfusões de sangue fizeram. E as lembranças da minha vida como era e os flashes do que poderia ser continuam vindo cada vez mais rápidos e fortes. Sinto como se não pudesse acompanhá-los, mas eles continuam vindo e tudo se choca, até que não aguento mais. Até que não consigo mais ser esta daqui nem por um segundo mais.

Vejo um clarão ofuscante, sinto uma dor horrível que me rasga por um momento intenso, um grito silencioso do meu corpo quebrado. Pela primeira vez, posso sentir o quanto seria extremamente agonizante ficar.

Mas então, sinto a mão de Adam. Não é só uma simples sensação, sinto o toque dele mesmo. Não estou mais toda encolhida na cadeira. Estou deitada no meu leito do hospital, de novo com o meu próprio corpo.

Adam está chorando e eu choro também, em algum lugar dentro de mim porque finalmente posso sentir as coisas. Não estou sentindo apenas a dor física, mas uma dor por tudo que perdi, e é algo tão profundo e catastrófico que vai deixar uma cratera dentro de mim que jamais poderá ser preenchida. Mas agora também consigo sentir tudo o que tenho na minha vida, e isso inclui tudo o que perdi bem como o desconhecido que a vida poderá me trazer. É demais para mim. Os sentimentos se acumulam, ameaçando escancarar o meu peito. A única forma de sobreviver a isso é me concentrar na mão de Adam, que está segurando a minha.

E, de repente, tudo que *preciso* é segurar a mão dele mais do que já precisei de qualquer outra coisa na vida. Não apenas sentir que ele segura a minha mão, mas segurar a dele também. Reúno cada gota de energia na minha mão direita. Estou fraca, e fica difícil fazer isso. É a coisa mais difícil que terei de fazer. Junto todo o amor que já senti, toda a força que vovó, vovô, Kim, as enfermeiras e Willow me deram. Junto todo o ar que mamãe, papai e Teddy me dariam se pudessem. Concentro todas as minhas forças nos meus dedos e na palma da minha mão direita como se fossem um raio de laser. Imagino a minha mão acariciando o cabelo de Teddy, pegando o arco posicionado sobre o violoncelo e entrelaçada com a mão do Adam.

E então aperto.

Depois relaxo, sentindo-me exausta, em dúvida se realmente fiz aquilo. Qual é o significado disso. E se foi importante.

Então sinto a mão do Adam apertar ainda mais a minha, e é como se a sua mão pudesse suportar o meu corpo inteiro. Como se pudesse me levantar da cama naquele momento. Então, ouço sua respiração profunda, e depois a sua voz. É a primeira vez que realmente posso ouvi-lo.

— Mia? — pergunta ele.

Agradecimentos

Muitas pessoas se uniram num curto espaço de tempo para tornar este livro possível. A começar por Gillian Aldrich, que começou a chorar (no bom sentido) quando lhe contei sobre a minha ideia. Isso com certeza foi um grande incentivo para que eu pudesse começar.

Tamara Glenny, Eliza Griswold, Kim Sevcik e Sean Smith, que conseguiram um tempinho nas suas agendas lotadas para ler os meus primeiros rascunhos e para me oferecer a motivação que eu tanto precisava. Por toda a generosidade e amizade de sempre, eu os amo e agradeço. Algumas pessoas nos ajudam a manter a cabeça no lugar, como fez Marjorie Ingall, e por isso eu a amo e a agradeço. Obrigada também a Jana e a Moshe Banin.

Sarah Burnes é a minha agente no sentido mais verdadeiro da palavra, e empenhou a sua inteligência formidável, suas ideias, sua paixão pelo que faz e seu entusiasmo para transportar as palavras que eu escrevia até as pessoas. Ela e as maravilhosas Courtney Hammer e Stephanie Cabot fizeram milagres em relação a este livro.

Quando encontrei a equipe da Penguin pela primeira vez, senti como se estivesse em família. Minha editora extraordinária, Julie Srauss-Gabel, dedicou à Mia e à sua família (sem falar de mim) toda a atenção do mundo e o amor que só se espera receber de um membro da família. Ela é a "Super Julie". Tanto Stephanie Owens Lurie quanto Don Weisberg colocaram o coração e todas as suas energias neste livro, e os departamentos de vendas, marketing, publicidade e o pessoal do design se dedicaram e foram muito além, e por isso, quero agradecê-los: Scottie Bowditch, Mary-Margaret Callahan, Erin Dempsey, Jackie Engel, Felicia Frazier, Kristin Gilson, Rhalee Hughes, Deborah Kaplan, Eileen Kreit, Barbara Marcus, Emily Romero, Holly Ruck, Allan Winebarger e Heather Wood.

A música tem um grande papel nesta história, e busquei muita inspiração em Yo-Yo-Ma — cujo próprio trabalho nos oferece muitas informações sobre Mia — e em Glen Hansard e Marketa Irglova, cuja música *Falling slowly* eu ouvi provavelmente mais de duzentas vezes enquanto trabalhava neste livro.

Obrigada ao meu contingente em Oregon: Greg e Diane Rios, que foram nossos compatriotas durante todo o projeto. John e Peg Christie, cuja graça, dignidade e generosidade continuam a me emocionar. Jennifer Larson, M.D., uma antiga amiga, uma médica de emergência que todos os prontos-socorros gostariam de ter e que me explicou sobre a Escala de Coma de Glasgow, além de outros detalhes médicos.

Meu pais — Lee e Ruth Forman — e meus irmãos — Greg Forman e Tamar Schamhart — são os meus maiores incentivadores e fãs, ignoram os meus fracassos (os profissionais, digo) e comemoram as minhas vitórias como se fossem deles (e são mesmo). Agradeço também a Karen Forman e a Robert Schamhart.

Não reconheci, de imediato, o quanto este livro aborda a forma como os pais transformam suas vidas em nome dos filhos. Willa Tucker tem me ensinado essa lição todos os dias e vez ou outra me perdoa quando estou envolvida demais com os meus pensamentos de faz de conta para brincar de faz de conta com ela.

Sem o meu marido, Nick Tucker, nada disso teria sido possível. Devo tudo a ele.

Por fim, meus mais profundos agradecimentos a R.D.T.J. que me inspira de tantas formas e que me mostra a cada dia que a imortalidade existe.

Confira um trecho exclusivo
do próximo livro,
Para onde ela foi,
e, logo após, a entrevista realizada
pela autora com os atores
Chloë Grace Moretz e Jamie Blackley

Para onde ela foi

GAYLE FORMAN

UM

Toda manhã eu acordo e me digo isso: É apenas um dia, um período de vinte e quatro horas para passar. Não sei quando exatamente eu comecei a me dar esse autoestímulo diário — ou por quê. Parece um mantra dos doze passos, e não me ligo em nada desses Sei Lá o Quê Anônimos, apesar de que, ao ler parte das merdas que eles escrevem sobre mim, poder-se-ia pensar que eu deveria ser. Tenho o tipo de vida que muita gente venderia um rim só para experimentar um pouquinho. Ainda assim, sinto necessidade de me lembrar da temporalidade de um dia, de me assegurar que passei pelo dia de ontem, que vou passar pelo dia de hoje.

Esta manhã, depois do meu cutucão diário, olhei para o relógio digital minimalista no criado-mudo do hotel. Diz 11:47, com certeza quase madrugada para mim. Mas a recepção já fez duas ligações para me acordar, seguidas por uma educada, mas firme, chamada de nosso empresário Aldous. Hoje pode ser apenas um dia, mas está lotado de coisas.

Tenho estúdio marcado para fazer uns canais finais de guitarra para uma versão exclusiva para a Internet do primeiro single do nosso álbum recém-lançado. Que truque. Mesma música, novas guitarras, alguns efeitos no vocal, pague uma graninha extra por isso. “Nos dias de hoje você precisa chupar um dólar de cada moeda", os chefões da gravadora adoram nos lembrar.

Depois do estúdio, tenho uma entrevista de almoço com uma repórter da *Shuffle*. Esses dois eventos são as bases do que se tornou minha vida: fazer música, o que eu gosto, e falar sobre a música, o que eu abomino. Mas são os dois lados da mesma moeda. Quando Aldous liga pela segunda vez, eu finalmente chuto o edredom para longe e pego o frasco na mesinha. É um troço contra ansiedade que preciso tomar quando fico agitado.

Agitado é como eu me sinto normalmente. Eu me acostumei a ficar agitado. Mas, desde que começamos nossa turnê com três shows no Madison Square Garden, tenho me sentido como outra pessoa. Como se estivesse prestes a ser sugado em algo poderoso e doloroso. Vorticificado.

Existe essa palavra? Eu me pergunto.

Você está falando consigo mesmo, então quem liga? Eu respondo engolindo algumas pílulas. Visto a cueca e vou para a porta do quarto, onde uma garrafa de café já está esperando. Foi deixada aí por um empregado do hotel, sem dúvida sob instruções estritas de ficar fora da minha vista.

Termino o café, me visto e sigo para o elevador de serviço e para fora da entrada lateral — o gerente de atendimento ao hóspede gentilmente me deu chaves de acesso especial para eu poder evitar o desfile de posudos do saguão. Na calçada sou atingido por um jorro do ar de Nova York. É meio opressor, mas gosto que o ar seja úmido. Me lembra o Oregon, onde a chuva cai sem parar, e, mesmo no dia mais quente de verão, nuvens brancas flutuam desabrochando acima; suas sombras me lembram que o calor do verão é efêmero e que a chuva nunca está distante.

Em Los Angeles, onde moro agora, dificilmente chove. E a chuva nunca termina. Mas é um calor seco. As pessoas lá usam essa aridez como desculpa para todos os excessos quentes poluídos da cidade. "Pode estar uns quarenta e dois graus hoje", eles se vangloriam, "mas pelo menos é um calor seco."

Nova York tem um calor úmido; quando chego ao estúdio, a dez quarteirões numa área desolada na West Fifties, meu cabelo, que mantenho escondido sob um boné, está úmido. Tiro um cigarro do bolso e minha mão treme quando eu acendo. Tive um leve tremor no último ano mais ou menos. Depois de extensas consultas, os médicos declararam que não era nada além de nervoso e me aconselharam a tentar a ioga.

Quando chego ao estúdio, Aldous está esperando do lado de fora, debaixo do toldo. Ele olha para mim, para meu cigarro, de volta para meu rosto. Posso ver pela forma como ele me olha que está decidindo se precisa ser o Policial Bonzinho ou o Policial Malvado. Eu devo estar uma merda, porque ele opta pelo Policial Bonzinho.

— Bom dia, Raio de Sol —, ele diz jovialmente.

— É? Que tem de bom no dia? — Eu tento fazer soar como uma piada.

— Tecnicamente, já é de tarde agora. Estamos atrasados.

Eu apago meu cigarro. Aldous coloca uma pata gigante no meu ombro, paradoxalmente gentil.

— Só precisamos de um canal de guitarra em "Sugar", só para dar um pouco a mais para que os fãs comprem tudo de novo. — Ele ri, balança a cabeça pelo que o negócio se tornou. — Daí você tem um almoço com a *Shuffle*, e temos um ensaio fotográfico para aquele troço do Fashion Rocks para a *Times* com o resto da banda lá pelas cinco, então um troço rápido de drinques com os caras da grana na gravadora, daí saio para o aeroporto. Amanhã, você tem uma reuniãozinha rápida com a publicidade e o merchan. Apenas sorria e não fale muito. Depois disso você fica sozinho até Londres.

Sozinho? Como o oposto de estar no seio quente de uma família quando estamos todos juntos? Eu digo. Só digo isso para mim mesmo. Cada vez mais parece que a maioria da conversa é comigo mesmo. Dado metade do troço eu acho que é provavelmente uma boa coisa.

Mas desta vez eu realmente vou estar comigo mesmo. Aldous e o resto da banda voam para a Inglaterra esta noite. Eu deveria estar no mesmo voo com eles até perceber que hoje era Sexta-feira 13, e eu, tipo, nem fodendo! Já estou apavorado o suficiente com esta turnê do jeito que está, então não vou surtar mais saindo no dia oficial da má sorte. Assim, fiz o Aldous agendar para o dia seguinte. Vamos gravar um clipe em Londres, daí fazer um monte de imprensa antes de começar a parte europeia da turnê, então não é que eu vá perder um show, só um encontro preliminar com nosso diretor do clipe. Não preciso ouvir a visão artística dele. Quando começarmos a gravação, eu faço o que ele mandar.

Sigo Aldous ao estúdio e entro na cabine à prova de som, onde somos apenas eu e uma fileira de guitarras. Do outro lado do vidro se senta nosso produtor, Stim, e o os engenheiros de som. Aldous se junta a eles.

— Tá, Adam — diz Stim —, mais um canal na ponte e no refrão. Só para fazer aquele chiclete mais grudento. Vamos mexer nos vocais na mixagem.

— Chiclete. Grudento. Entendi.

Coloco os fones de ouvido e pego minha guitarra para afinar e me aquecer. Tento não notar que, apesar do que o Aldous disse alguns minutos atrás, parece que eu *já estou* solitário. Eu sozinho numa cabine à prova de som. *Não pense demais,* digo a mim mesmo. É assim que você grava num estúdio tecnologicamente avançado. O único problema é que eu me senti igual há alguns anos no Garden. Lá no palco, na frente de dezoito mil fãs, ao lado das pessoas que, há muito tempo, eram parte da minha família, eu me senti tão sozinho como nesta cabine.

Ainda assim, poderia ser pior. Eu começo a tocar e meus dedos agilizam e eu saio do banquinho e bato e rasgo minha guitarra, soco até guinchar e gritar da forma como eu quero. Ou quase da forma como eu quero. Há provavelmente cem mil pilas em guitarras nesta sala, mas nenhuma delas soa tão bem quanto minha velha Les Paul Junior — a guitarra que tive por anos, na qual eu gravei nossos primeiros álbuns, aquela que, num surto de idiotice, ou arrogância, ou sei lá, eu permiti que fosse leiloada para a caridade. As substitutas brilhantes, caras, nunca soaram ou pareceram exatamente certas. Ainda assim, quando eu rasgo alto, eu consigo me perder por um segundo ou dois.

Mas tudo termina rápido demais, então Stim e os engenheiros me cumprimentam e me desejam sorte na turnê, e Aldous me conduz para fora da porta e a uma limusine e nós seguimos pela Nona Avenida pelo SoHo, para um hotel cujo restaurante os assessores de imprensa da nossa gravadora decidiram que era um bom lugar para nossa entrevista. Por acaso eles pensam que sou menos propenso a gritar ou dizer algo que me queime se estiver num local público caro? Eu me lembro dos primeiros dias, quando os entrevistadores escreviam fanzines ou blogs e eram fãs e queriam principalmente falar de rock — discutir a *música* — e queriam falar com todos nós juntos. Na maioria das vezes, se tornava uma conversa normal, com todo mundo gritando suas opiniões uns para os outros. Naqueles tempos eu nunca me preocupava em frear minhas palavras. Mas agora os repórteres interrogam a mim e à banda separadamente, como se eles fossem policiais e tivessem a mim e meus cúmplices em celas coladas e tentassem fazer com que um denunciasse o outro.

Preciso de um cigarro antes de entrar, então Aldous e eu ficamos fora do hotel no sol ofuscante do meio-dia enquanto uma multidão de pessoas se junta e dá uma olhada em mim fingindo não olhar. É a diferença entre Nova York e o resto do mundo. As pessoas são tão loucas por celebridades quanto em qualquer lugar, mas os nova-iorquinos — ou pelo menos aqueles que se consideram sofisticados e vagam pelo tipo de quarteirão do SoHo em que estou parado agora — montam essa fachada de que não ligam, mesmo olhando de seus óculos escuros de trezentos dólares. Depois agem com desdém quando forasteiros quebram o código, correndo e pedindo autógrafos como duas garotas de moletom da U Michigan acabaram de fazer, para grande irritação de um trio de esnobes próximos, que viram as meninas e reviraram os olhos, me dando um olhar de solidariedade. Como se as *meninas* fossem o problema.

— Precisamos arrumar um disfarce melhor para você, Wilde Man — disse Aldous, depois que as meninas, rindo de empolgação, se afastaram. Ele é o único que tem permissão para me chamar assim ainda. Antes costumava ser um apelido geral, um jogo com meu sobrenome, Wilde. Mas uma vez eu meio que detonei um quarto de hotel, e depois disso "Wilde Man", "o homem selvagem", virou meio que um bordão inevitável dos tabloides.

Daí, como se aproveitasse a deixa, um fotógrafo aparece. Não se pode ficar parado na frente de um hotel de luxo que isso acontece.

— Adam! Bryn está lá dentro?

Uma foto minha com Bryn vale cerca do quádruplo de uma minha sozinho. Mas, depois que o primeiro flash se apaga, Aldous enfia uma mão na frente da lente do cara e outra na frente do meu rosto.

Enquanto me conduz para dentro, ele me prepara.

— A repórter se chama Vanesa LeGrande. Ela não é um desses tipos pavorosos que você odeia. É jovem. Não mais jovem do que você, mas vinte e poucos, acho. Escrevia para um blog antes de ser pega para a *Shuffle*.

— Que blog? — eu interrompo. Aldous raramente me dá fichas detalhadas sobre repórteres a não ser que haja uma razão.

— Não tenho certeza. Talvez Gabber.

— Ah, Al, é uma merda de um site de fofoca.

— *Shuffle* não é um site de fofoca. E esta é a exclusiva para a capa.

— Ótimo. Que seja — eu digo, empurrando a porta do restaurante. Dentro há mesas baixas de aço e vidro e banquinhos de couro, como um milhão de outros lugares em que já estive. Estes restaurantes se acham demais, mas na verdade são apenas versões mais caras, mais enfeitadas, do McDonald's.

— Lá está ela, na mesa do canto, a loira com mechas — Aldous diz. — É uma gata. Não que você tenha falta de gatas. Merda, não diga a Bryn que eu disse isso. Tá, esquece, vou estar lá no bar.

Aldous vai ficar para a entrevista? Isso é trabalho de assessor de imprensa, só que eu me recusei a ser escoltado por assessores de imprensa. Devo parecer mesmo surtado.

— Está de babá? — pergunto.

— Não. Só achei que você poderia precisar de reforços.

Vanessa LeGrande é gata. Ou talvez *gostosa* seja um termo mais preciso. Não importa. Posso ver pela forma como ela lambe os lábios e joga o cabelo para trás que ela sabe disso, e isso estraga muito do efeito. Uma tatuagem de cobra corre pelo pulso dela, e aposto nosso disco de platina que ela tem um carimbo de vagaba. Com certeza, quando ela procura na em sua bolsa por um gravador digital, saindo do topo de seu jeans cintura baixa há uma pequena flecha chapada apontando para o sul. *Classuda.*

— Ei, Adam — Vanessa diz, olhando para mim de forma conspiratória, como se fôssemos velhos amigos. — Posso já dizer que sou uma grande fã? *O Collateral Damage* me ajudou a passar por um fim de namoro arrasador no último ano da faculdade. Então, obrigada. — Ela sorri para mim.

— Hum, não tem de quê.

— E agora eu gostaria de retribuir o favor escrever o melhor perfil da Shooting Star já visto. Então que tal irmos direto a um papo reto e mergulharmos no assunto?

Direto a um papo reto? As pessoas ao menos entendem metade da merda que sai de suas bocas? Vanessa pode estar tentando ser abusada ou safada ou tentar me conquistar com sinceridade ou me mostrar como ela é real, mas, o que quer que ela esteja tentando, não vou cair nessa.

— Claro — é tudo o que digo.

Um garçom chega para anotar o pedido. Vanessa pede uma salada; eu peço uma cerveja. Vanessa folheia seu caderno Moleskine.

— Sei que não devemos falar sobre *BloodSuckerSunshine*... — ela começa.

Imediatamente eu franzo a testa. É *exatamente* do que devemos falar. É por isso que estou aqui. Não para ser amiguinho. Não para trocar segredos. Mas porque é parte do meu trabalho promover os álbuns da Shooting Star.

Vanessa joga charme.

— Estou escutando há semanas, e sou uma garota volúvel, difícil de agradar. — Ela ri. Ao longe, escuto Aldous pigarrear. Olho para ele. Está com um sorriso falso gigante, me fazendo sinal de joinha. Ele parece ridículo. Eu me viro para Vanessa e me forço a sorrir de volta. — Mas, agora que seu segundo álbum por uma grande gravadora saiu e seu som mais pesado está estabelecido, acho que podemos concordar com isso, quero escrever uma pesquisa definitiva. Marcar sua evolução de banda de emocore para os descendentes de agita-rock.

Descendentes de agita-rock? Essa punheta de se dar importância desconstrucionista era algo que me broxava bem no começo. Até onde eu sei, escrevo músicas: acordes, batidas e letras, versos, pontes e ganchos.

Mas daí, conforme a gente cresceu, as pessoas começaram a dissecar as músicas, como um sapo na aula de biologia, até não sobrar nada além de tripas — partes pequenas, muito menos do que a soma.

Eu reviro os olhos levemente, mas Vanessa está focada em suas notas.

— Eu estava escutando uns shows dos seus primeiros trabalhos. É tão pop, quase fofo em comparação. E tenho lido tudo sobre vocês, cada post de blog, cada artigo de zine. E quase todo mundo se refere a esse dito "buraco negro" da Shooting Star, mas ninguém realmente penetra lá. Vocês tiveram seus pequenos lançamentos indie; foram bem; foram escalados para o primeiro time, mas daí tem esse hiato. Boatos de que vocês iam acabar. Daí vem *Collateral Damage.* E pau. — Vanessa imita uma explosão vindo de seus punhos fechados.

É um gesto dramático, mas não totalmente infundado. *Collateral Damage* saiu há dois anos, e, com um mês de lançamento, o single "Animate" entrou nas paradas nacionais e viralizou. Costumávamos brincar que não dava para ouvir a rádio por mais de uma hora sem ouvir isso. Daí "Bridge" explodiu nas paredes e logo o álbum todo estava subindo para a primeira posição no iTunes, que por sua vez fez cada Walmart do país ter o álbum em estoque, e logo estava tirando a Lady Gaga da primeira posição na parada da *Billboard.* Por um tempo parecia que o álbum estava carregado no iPod de cada pessoa entre a idade de doze e vinte e quatro. Em questão de meses, nossa banda semiesquecida do Oregon estava na capa da revista *Time*, sendo considerada a "Nirvana do Novo Milênio."

Mas nada disso é novidade. Foi tudo documentado, sem parar, até enjoar, incluindo na *Shuffle.* Não tenho certeza de aonde Vanessa quer chegar.

— Sabe, todo mundo parece atribuir o som mais pesado ao fato de que Gus Allen produziu *Collateral Damage.*

— Certo —, eu digo. — Gus é do rock.

Vanessa dá um gole na água. Posso ouvir seu piercing de língua estalar.

— Mas Gus não escreveu essas letras, que são a base para todo esse magnetismo. Você escreveu. Toda essa força bruta e emoção. É como se *Collateral Damage* fosse o álbum mais raivoso da década.

— E pensar que estávamos indo para o mais alegre.

Vanessa olha para mim, estreita seus olhos.

— Falei isso como um elogio. Foi bem catártico para muita gente, incluindo eu. E essa é a questão. Todo mundo sabe que alguma coisa rolou durante seu "buraco negro". Vai acabar saindo, então por que não controlar a mensagem? A que se refere o "efeito colateral"? — Ela pergunta, fazendo aspas com os dedos. — O que aconteceu com vocês? Com você?

Nosso garçom entrega a salada de Vanessa. Eu peço uma segunda cerveja e não respondo à pergunta dela. Não digo nada. Só mantenho os olhos abaixados. Porque Vanesa está certa numa coisa. Nós controlamos, *sim*, a mensagem. Nos primeiros dias, ouvi essa pergunta o tempo todo, mas apenas mantivemos as respostas vagas: levou um tempo para encontrar nosso som, escrever nossas músicas. Mas agora a banda é grande o suficiente para que nossa assessoria lance uma lista de assuntos proibidos para os repórteres: o relacionamento de Liz e Sarah, o meu com a Bryn, os antigos problemas com drogas do Mike — e o "buraco negro" da Shooting Star. Mas Vanessa aparentemente não recebeu o recado. Lanço um olhar para Aldous buscando ajuda, mas ele está mergulhado numa conversa com o bartender. Grande apoio.

Uma conversa com

Chloë Grace Moretz

Quando os direitos do filme *Se Eu Ficar* foram comprados, a roteirista Shauna Cross e eu começamos a pensar nas atrizes jovens que poderiam fazer o papel da Mia. "Que pena que a Chloë Moretz é muito nova, porque ela é incrível!", disse Shauna. Naquela época, Moretz acabara de impressionar o mundo interpretando Mindy, a Hit Girl, em *Kick-Ass — Quebrando tudo*, mas ela tinha apenas treze anos.

Às vezes a produção de um filme demora um certo tempo, e, no nosso caso, esse período de alguns anos nos favoreceu, porque, enquanto a Mia permanecia com a mesma idade, Chloë ficava mais velha, chegando, assim, à idade perfeita para interpretar a personagem.

Ao observar o trabalho dela, fiquei encantada. Boa parte de sua atuação ocorria nos silêncios, nos intervalos entre uma fala e outra, nas expressões dela. Ficou muito claro que ela passou a habitar a personagem de corpo e alma. Quando me sentei para conversar com ela, alguns meses atrás, depois que o filme já estava pronto, mais uma vez fui surpreendida ao ver o quanto essa jovem foi extremamente cuidadosa com cada detalhe do papel.

Cuidado! *Spoilers* abaixo.

Gayle Forman: Você disse que se identificou com a Mia logo que começou a ler o livro e o roteiro de *Se Eu Ficar*. Por qual motivo?
Chloë Grace Moretz: A Mia lembra a garota que eu sou — por trás da atriz e de tudo o mais, ela sou eu... essa garota entusiasmada, a jovem que quer viver a vida, mas que ao mesmo tempo é muito determinada. Ela sabe exatamente o que quer e como chegar até lá. Mia tinha cinco ou seis anos quando tocou o violoncelo pela primeira vez, e eu tinha cinco quando comecei a atuar. Sempre me senti muito próxima dela nesse sentido.

GF: Quando comecei a conhecer você um pouquinho, enxerguei uma dicotomia: Chloë, a estrela do cinema, e Chloë, uma garota normal. Sei que pode soar meio clichê, mas você parece uma garota normal, que também é muito determinada e ciente do que quer. Esse é um paralelo muito interessante entre você e a Mia.
CGM: Isso definitivamente facilitou muito para que eu pudesse entrar de cabeça na mente da Mia.

GF: Muito tempo atrás, você me mandou uma mensagem na qual escreveu: "Não vejo a hora de aprender a tocar violoncelo. Ele é tão parte da Mia que é como uma obrigação, tenho de aprender a tocá-lo para retratá-la." E você estudou mesmo o violoncelo. Como é que isso a conectou com a personagem?
CGM: O violoncelo realmente é uma parte essencial da Mia, de quem ela é. É quase como a consciência dela. Quando ela o toca, tudo aquilo que ela quer dizer e não pode, tudo que está sentindo bem lá no fundo e não pode colocar para fora, vem à tona. Quando está chateada com os pais, ela toca melhor do que nunca. É no momento mais intenso do seu relacionamento com o Adam que ela toca ainda melhor do que já

havia tocado. Nesse sentido, para mim, acontece o mesmo quando estou atuando. Foi por isso que eu quis incorporar de verdade a violoncelista. O violoncelo é um instrumento muito pessoal para muitos dos violoncelistas clássicos que conheci. Eles praticamente respiram com o instrumento. Quando o arco faz o movimento para baixo, eles expiram; quando faz o movimento pra cima, inspiram. Tem uma fluidez maravilhosa que eles não percebem que está acontecendo até que alguém comente...

GF: Isso faz sentido. O violoncelo é um instrumento extremamente sensível. Quando o ouvimos, parece que ele traduz os sentimentos da pessoa que está tocando ou compondo. Esse lance da respiração... É quase como se você estivesse se derramando sobre ele enquanto toca.
CGM: Acho que é um dos instrumentos mais profundos, sensíveis e realistas que existem. O violino é doce, mas não chega a essa profundidade. A viola até arrisca alguns passos nessa profundidade, mas mantém o mesmo tom. O mais interessante no violoncelo é que, se ele for tocado da maneira certa, pode soar como um violino. Pode até se transformar num baixo. E, quando tocado de certo modo, pode soar até como uma guitarra. São muitos instrumentos reunidos em um só.

GF: Tornei-me fã de música clássica depois que a Mia brotou na minha cabeça, totalmente formada, uma violoncelista. Mas você sempre gostou de música clássica, não é?
CGM: Ah, com certeza. Sempre fui fã, desde criancinha. Sempre ouço música clássica, sempre quis aprender a tocar um instrumento, mas nunca tive tempo. Conseguir fazer isso durante a produção de um filme... achei muito legal aprender — ou começar a aprender — a tocar um instrumento clássico.

GF: O filme, como o livro, é divido em duas partes: o tempo presente, que acompanha a Mia depois do acidente, quando na maior parte do tempo ela está fora do próprio corpo, e as cenas de flashback, que mostram a Mia como musicista, amiga, filha, irmã e, claro, namorada, que é quando ela se apaixona pelo Adam. Você sentiu como se estivesse interpretando dois papéis completamente diferentes?
CGM: Totalmente. A Mia que vemos nos flashbacks é a garota que está experimentando o amor pela primeira vez e o sucesso no mundo da música clássica. Está se transformando numa mulher. A Mia que vemos no hospital é uma carapuça de quem a Mia costumava ser. Não é uma pessoa, propriamente. Ela é como um pensamento, digamos, é a personificação de um anjo.

GF: O que tornou o trabalho mais desafiador: o fantasma da Mia no tempo presente ou a Mia de antes, que se transformou numa pessoa vulnerável, especialmente ao se apaixonar pelo Adam?
CGM: Como o Jamie Blackley é um cara muito legal, foi muito fácil lidar com tudo isso. Muito simples. Mireille Enos é uma pessoa fantástica. Para ela, foi fácil interpretar a minha mãe. Josh Leonard estava ótimo e Jakob Davies fez a melhor criança de todas. Tudo fluiu muito naturalmente. O mais difícil de tudo, sem dúvida, foi incorporar o sentimento de perdê-los. Esse nível de solidão é extremamente profundo e real. É como uma devastação. Acho que foi muito interessante retratar isso. E difícil, sinceramente — muito, muito difícil —, de fazer.

GF: Estive lá só para ver o primeiro dia das filmagens das cenas que são gravadas dentro do hospital, e aquilo por si, já foi o bastante para mim. Pareceu muito intenso.
CGM: Foram noites extensas naquele hospital insano. [As cenas do hospital foram gravadas em um hospital psiquiátrico.] Essas foram

umas das últimas cenas que gravamos, então eu já conhecia todo o elenco muito bem. Foi um golpe duro. Todos morrem. Todos esses fatos juntos foi algo muito pesado.

GF: Houve uma cena que acrescentei na revisão: Mia na cena do acidente, quando ela belisca o próprio corpo e grita: "Acorde!". Acho que chorei de soluçar enquanto escrevia essa cena, porque, àquela altura, eu já conhecia a Mia muito bem, assim como todos os outros personagens.
CGM: Posso imaginar. Mesmo sendo uma personagem ficcional, é muito difícil.

GF: Como autora, você passa a amar os seus personagens. Tenho certeza de que acontece o mesmo com um ator. É como você disse: foi difícil perceber que o Jakob, a Mireille e o Josh se foram, embora não tenham partido. Eles continuam ali, por perto.
CGM: (Risos). Eles continuam aqui. Não se preocupe.

GF: Como atriz, você teve papéis de certa forma românticos, mas esse é o primeiro filme no qual você atua que a história de amor é um tema central?
CGM: Com toda a certeza. Esse é o meu primeiro filme romântico. O que é muito legal.

GF: Você comentou que sentiu que tinha a responsabilidade de retratar o romance exatamente da maneira certa.
CGM: Conheço muitas pessoas que investiram nesse livro. Muitos são amigos meus. Queria fazer jus a ele. Queria ter a certeza de que seria fiel a Mia, não somente ao lado pessoal da personagem, mas tinha de ser fiel a você e aos leitores. É para vocês que estamos de fato fazendo o filme.

GF: E como foi se apaixonar pelo Adam?
CGM: Quando eu estava no hospital, tudo foi muito sério, mas, enquanto estávamos filmando as cenas dos personagens em vida, foi muito engraçado. Nos divertimos muito. Jamie é um cara muito bacana. Fica fácil quando as pessoas são legais e normais. É só deixar fluir.

GF: Foi incrível ver você trabalhando. Estava lá, brincando e, de repente, "boom! Gravando!" e aí era hora de trabalhar e você mergulhava de cabeça. Como fez isso?
CGM: Fazendo. Quando o roteiro está bem escrito, é muito mais fácil. E, quando conheço a personagem muito bem, fica mais fácil ainda. Em relação à Mia, eu a conhecia tão bem que foi fácil "sair e entrar" nela. Ao mesmo tempo, como a situação era muito sinistra, houve momentos em que eu sentia muita vontade de brincar um pouco, saltar em cima da cadeira de rodas ou sair do set de filmagen para fazer alguma coisa muito ridícula. Quando o ator tem de lidar com situações tão pesadas como essa, é preciso fazer esse tipo de coisa; do contrário, você enlouquece.

GF: Faz sentido.
CGM: Foi ótimo contar com a Liana [Liberato, que faz o papel de Kim], que agora é uma amiga minha muito próxima... Com o Jamie para dar muitas risadas... muito legal. O Paul Berry, assistente do diretor. O R. J. [Cutler], o diretor, a Alison [Greenspan], produtora. Havia muitas pessoas incríveis no set. Era um ambiente legal, um clima agradável.

GF: Vamos falar um pouco sobre o R. J. Você o conhecia antes de ele assumir a direção de *Se Eu Ficar*, e já se identificava com ele há bastante tempo.

CGM: Fazia tempo que queria trabalhar com ele. Eu o considero um diretor brilhante e já vinha pensando nesse projeto havia muito tempo. E poder, de fato, tê-lo como diretor desse projeto perfeito... não poderia ter sido melhor. Esse filme não é um daqueles filmes típicos para jovens adultos. Nem o livro é. Era preciso um cara inteligente, que conhecesse música clássica, rock e as emoções e sentimentos dos jovens. Não pode ser simplesmente um "boneco" que não compreende o universo das crianças, porque ele trabalharia com a mentalidade de um adulto mais velho. Por algum motivo, o R. J. compreendeu muito bem o que significava ser um adolescente. Penso que dá para perceber isso muito bem no filme.

GF: Quando você se integrou com o elenco e a equipe de produção, sentiu que isso interferiu no desempenho da sua interpretação ou só te deu mais espaço para "respirar"?
CGM: Em primeiro lugar, isso faz com que você se sinta mais confortável. E, em segundo, interfere sim, porque você curte as pessoas. É fácil. Basta deixar rolar. Você não precisa pensar: "Ah, meu Deus, eu realmente não gosto dessa pessoa, mas nesta cena tenho que fazer o papel da namorada dele ou melhor amiga, ou filha...". É muito chato quando você tem que fazer isso. Quando ama de verdade as pessoas que estão ao seu redor — como pessoas mesmo, amigas —, não precisa pensar. É só fazer.

GF: Qual cena foi a mais comovente?
CGM: Descobrir que o Teddy estava morto. Isso foi muito, muito complicado. Adorei o Jakob, e foi muito difícil para mim pensar naquela possibilidade... muito sinistro. Saio correndo pelo corredor, caio sobre os meus joelhos e começo a gritar. A Mia desiste naquele

momento. Ela não só descobre que o Teddy está morto como também exclama: "Para o inferno tudo isso! Já chega!".

GF: E qual cena foi a mais engraçada?
CGM: Por algum motivo, amei fazer a cena em que eu e a Liana estamos na cafeteria, conversando. É uma cena rápida, mas nos divertimos muito naquele dia. Foi realmente um dos dias mais engraçados. Não sei por quê. Só sei que foi muito, muito divertido mesmo.

GF: Essa é a cena na qual você conta para a Kim que está namorando?
CGM: Sim. E ela diz: "Ah, eu já sabia".

GF: Agora tenho uma pergunta muito importante pra você. Quero que pense bastante antes de respondê-la. Você usou umas roupas muito fofas nas gravações do filme. Monique Prudhomme [a figurinista] de fato deu um excelente guarda-roupa para a Mia. Qual delas você escolheria como a sua favorita?
CGM: É fácil responder essa. É a roupa que estou usando quando vou assistir à banda do Adam tocar. Estou usando uma camisa listrada justa, um cintinho e uma minissaia, meia-calça, botas e um casaquinho que arranco no meio da cena. Amei esse figurino.

GF: Adorei todo o figurino da Mia. Todos os casaquinhos. Estilo meio patricinha, meio grunge... Muito fofo.
CGM: Nem patricinha demais, nem "boazinha" demais. Apenas Mia.

Uma conversa com

Jamie Blackley

Logo que foi anunciado que *Se Eu Ficar* se transformaria em filme, os fãs começaram a me perguntar quem eu imaginei para fazer o papel do Adam. Nunca tive uma resposta. Tinha uma ideia muito clara na minha cabeça de quem era o Adam e, de fato, nenhum ator parecia se igualar a ele.

Quando começaram a distribuir os papéis, entendi o grande desafio que seria preencher esse papel. O ator que interpretaria o Adam teria de ser jovem e ter uma mistura de "arrogância carismática" (alguém que você vê como uma estrela do rock com um futuro promissor) e certa vulnerabilidade. O ator teria de saber cantar e tocar guitarra (os produtores estavam realmente determinados a fazer com que os músicos do filme tocassem de verdade, pra valer). O escolhido deveria ter uma capacidade extra de interpretação. E, claro, tinha de ser bonito.

A procura por Adam foi uma caça internacional que por fim nos levou até o ator inglês Jamie Blackley. Quando assisti ao teste de atuação dele, foi como se alguém tivesse entrado no meu pensamento e arrancado o Adam de lá. E, ao vê-lo no set de filmagem, seja nas cenas doces, em que acontecem os beijos românticos, ou nas cenas mais ousadas, dos shows, o sentimento aumentou ainda mais.

Encontrei com Jamie quando ele estava na cidade de Nova York alguns meses depois das gravações. E, mais uma vez, pode soar como clichê, mas, assim como a Chloë me surpreendeu como uma pessoa absolutamente normal (e absurdamente talentosa), Jamie é incrivelmente talentoso, extremamente lindo e adorável. Muito parecido com o Adam.

Gayle Forman: Recentemente, conversei com a Chloë sobre o que a atraiu para interpretar a Mia, então agora quero saber de você qual foi o ímã que o puxou até o Adam.

Jamie Blackley: Muitas das coisas que tenho feito são sobre determinado cara que gosta de alguém, ou que tem um relacionamento rápido e sexual com alguém, como em *And While We Were Here,* em que o meu personagem tem um relacionamento curto com uma mulher. *Se Eu Ficar* retrata uma relação mais pessoal, o que era realmente interessante. O Adam e a Mia estão juntos há um ano e meio, dois anos. Esse é o período de tempo em que se conhece uma pessoa, e conseguir transmitir isso de uma forma verdadeira é bastante desafiador.

GF: Então foi a história de amor que chamou a sua atenção?

JB: Sim, foi a história de amor.

GF: E quanto à questão da música? Foi um atrativo para você? Ou algo que o intimidou?

JB: Já fiz muitas coisas que envolviam música; personagens que tocavam, então não foi algo que me intimidou. Fiquei entusiasmado em saber que eu tocaria em shows, porque nunca fiz isso antes. E também porque, à medida que o filme avançava, a banda também progredia. De fato, me senti assim mesmo, porque fizemos todos os ensaios, e os shows foram aumentando. Por fim, a banda já conseguia tocar ao vivo. Curtimos muito fazer isso.

GF: Você já tocou guitarra e cantou, mas ainda teve de treinar bastante para fazer o papel, certo?
JB: Me mandaram as músicas e as partituras para que eu pudesse aprendê-las. E também tive aulas com um cara chamado Simon Tong, que já tocou na Gorillaz e na Blur. Eu ia pra casa dele e passava algumas horas lá. Ele me ensinava as músicas e me fazia sentir confortável com elas, até que eu fiquei relaxado o bastante para tocá-las. Aprender com alguém que já está tocando há tanto tempo foi uma experiência muito legal. Foi muito especial mesmo. Não sou nenhum guitarrista incrível... mas consigo me virar.

GF: Eu não sabia disso. Ouvi dizer que as suas habilidades com a guitarra realmente melhoraram muito. E você arrasou nas cenas em que acontecem os shows.
JB: Melhoraram mesmo. Tinha uma guitarra no meu quarto do hotel. Um guitarrista chega em casa e vê a guitarra lá, e aí começa a assistir TV e a tocar a guitarra ao mesmo tempo. Acho que esse hábito me fez melhorar um pouco. Me acostumei a tocar todos os dias.

GF: A banda ensaiou antes de começar as gravações do filme?
JB: Gravei todas as músicas [da banda do Adam] em estúdio antes de gravarmos o filme. Aí, antes de filmar as cenas dos shows, ensaiávamos. Todo mundo se reunia e ia para uma sala de ensaio, onde ficávamos umas três ou quatro horas, ensaiando a música que íamos tocar na cena. Era ensaio de verdade, pra valer mesmo.

GF: A guitarra, os ensaios com a banda... Isso ajudou você a descobrir o personagem do Adam?
JB: Quando começamos as filmagens, eu já estava acostumado com o estúdio, e com o fato de cantar e tocar todo dia, e era exatamente isso que o Adam fazia. Passava todos os dias tocando guitarra, pensando em música, ouvindo música. Foi o que eu fiz. E fui assistir a alguns shows. Assisti a mais shows em Vancouver do que eu tinha frequentado nos últimos dois anos. E o fato de estar próximo a músicos também acaba influenciando você...

GF: Por falar em músicos, parece que você se deu muito bem com os seus colegas de banda... Criou até uma amizade muito legal com um deles.
JB: Sim, fiz amizade com um cara que considero muito, o Ben Klassen. É um cara muito maneiro. Todos eles são. Foi muito legal estar ao lado de pessoas que nunca haviam feito algo assim antes, porque acho que a empolgação acaba contaminando você... Foi a primeira vez que gravaram um filme; aquele entusiasmo faz *você* se entusiasmar também. É uma experiência revigorante.

GF: Pode ser que os leitores não saibam que nenhum dos seus companheiros de banda eram atores profissionais. São todos músicos. Nenhum deles havia atuado antes.
JB: Olha que legal isso! O Ben trabalha no ramo da construção com o pai dele e o Ali (Milner) faz muitas apresentações pelos hotéis de Vancouver. O Ryan (Stephenson) e o Tom (Vanderkam) compõem; além disso, o Ryan também dá aulas. E aí, de repente, todos vieram parar no meio de um set de filmagem.

GF: Essa gravação parece ter sido a primeira, ou uma experiência diferente, para muitas pessoas. Foi um papel diferente para você, para a Mireille e para o Joshua. E para a Chloë também. Foi a minha primeira adaptação para o cinema. E foi a estreia do nosso diretor, R. J. Cutler, em filmes de longa-metragem. E ele entrou de corpo e alma na produção desse filme.
JB: Ele se empenhou *muito*. Percebi isso logo que o conheci, no meu teste. Dava pra ver que esse filme era muito importante para ele, o que significava que se preocuparia com todos os personagens da história. Senti que ele confiou em mim, e aquilo foi muito importante. Às vezes somos deixados meio que no escuro. Mas ele nunca fez isso. Sempre me fez sentir seguro, mantendo a relevância da história e me deixando ciente de onde vínhamos e para onde estávamos indo. Todos estavam ali pelos motivos certos. Porque acreditavam no que estavam fazendo. E isso se destacou no final do trabalho.

GF: Concordo. A Chloë disse que a integração entre todos no ambiente de filmagem realmente interfere na experiência da gravação. Você concorda?
JB: Sim. No final do dia, eu e a Chloë tínhamos de interpretar um casal apaixonado. Como teria sido horrível fazer isso com alguém que você odeia! Ela é adorável, e uma garota muito talentosa. Me sinto realmente honrado em poder trabalhar com ela. Ela foi incrível. O fato de a gente ter se dado superbem e de ela ser uma pessoa tão legal tornou cada dia de trabalho muito mais fácil.

GF: O filme é dividido em duas partes: os flashbacks, que são mais tranquilos, embora você e a Mia tenham algumas cenas intensas juntos, e o tempo presente, no hospital, quando o Adam é que protagoniza a

maior parte das cenas emotivas. Você teve preferência por fazer alguma dessas partes?
JB: Acho que não. Fizemos primeiro todas as cenas da casa [da família Hall], e achei que foi um excelente começo. Entendemos o que a Mia estava perdendo, a batalha que ela tinha consigo mesma quando se deparava com o fantasma da Mia. Entendi como seria a família dela e que a relação entre eles era muito agradável e de muito carinho. E aí gravamos o resto. O lance do hospital foi difícil. Só o fato de estar num hospital já é difícil. Ainda mais porque ela estava lá, internada.

GF: E o dia em que você viu a Mia em coma, como foi?
JB: Dizem que os atores tentam entrar em um determinado *modo* para interpretar algumas coisas, mas quando tudo aquilo está bem ali, na sua frente — no meu caso, tinha uma garota deitada numa cama, completamente inconsciente —, faz você sentir como se fosse real.

GF: Houve alguma cena que tenha sido mais comovente ou mais desafiadora?
JB: Quando converso com ela no hospital. Não sei quanto tempo levamos para gravá-la, mas senti como se fosse uma eternidade. Foi muito exaustivo.

GF: Essa é cena na qual você implora para a Mia ficar, e em seguida entra em desespero. Como você chegou àquele nível de intensidade emocional?
JB: Escrevi uma carta. Não vou dizer para quem. Mas eu a lia entre as gravações, e isso me ajudou muito. E também ouvia uma música que me lembrava de algo muito especial para mim.

GF: Qual música?
JB: "Me", da The 1975. Essa música mexe comigo, de alguma forma. Eu os vi em Vancouver quando eu estava lá, e os vi também em Londres, depois de um show ao vivo. Àquela altura, essa música já tinha um significado muito grande para mim.

GF: Enquanto escrevia *Se Eu Ficar*, eu ouvia "Falling Slowly", do Glen Hansard e da Marketa Irglova, e a música me fazia chorar. Depois, me sentia pronta para escrever. Não sei ao certo por que essa música me tocava tanto. Não é uma música triste nem melancólica. Mas funcionou.
JB: O mesmo aconteceu comigo. O conteúdo lírico de "Me" não tinha nada a ver com a situação, mas a música mexeu comigo.

GF: Adoro ver o quanto a música funciona como gatilho emocional. Depois que escrevi o livro, as pessoas me perguntam se sou musicista. Não sou, nem nunca fui, mas a música sempre teve um impacto emocional muito grande sobre mim.
JB: É um meio muito legal de evocar qualquer tipo de emoção. Queria ter habilidade para compor. Mas não consigo. Mesmo. Não sou bom nisso. Invejo quem consegue.

GF: Então essa foi a cena mais difícil. E qual cena foi a mais divertida de fazer?
JB: Foi a última cena de um show da banda. Foi tão intensa e havia tanta gente na plateia que me senti como se estivesse num show de verdade. Foi emocionante. Acho que o Crystal Palace [o time londrino de futebol pelo qual Jamie é obcecado] ganhou naquele dia. Então foi um dia incrível. Muito, muito divertido.

GF: Eu estava lá quando você gravou essa cena. Foi eletrizante. Acho que os fãs vão ficar muito empolgados ao ver e ouvir a música brotar das páginas e vão amar todas as músicas originais que Adam e sua banda tocam. São ótimas e cativantes, e acredito plenamente que a banda as interpretou. Tem alguma que seja a sua favorita?
JB: A última música que tocamos, "Mind". Tem alguma parte dela, algo como um interlúdio musical onde todo o pessoal da banda enlouquece.

GF: Por fim, preciso perguntar sobre a sequência, *Para Onde Ela Foi*. Durante as filmagens, sei que você não leu a sequência propositalmente, embora ela seja contada do ponto de vista do Adam.
JB: Não li antes de terminarmos as gravações porque não queria que interferisse na minha interpretação do Adam em *Se Eu Ficar*. Mas a minha mãe leu e adorou. Disse que é o seu livro favorito entre os dois.

GF: E agora, você já leu?
JB: Ainda não. Não quero alimentar as minhas esperanças!